W9-CRO-759

791.4302
Kalnyn'sh, Ivar,
Mо i̇ a molodost'--SSSR

ПОРТРЕТ ЭПОХИ

ИВАР КАЛНЫНЬШ

МОЯ МОЛОДОСТЬ – СССР

АСТ
Москва

УДК 791.44.071.2(47)
ББК 85.373(2)
К17

Калныньш, Ивар.

К17   Моя молодость – СССР / Ивар Калныньш. – Москва: АСТ, 2015. – 224 с. – (Портрет Эпохи).

ISBN 978-5-17-088500-8

«Мама, узнав о том, что я хочу учиться на актера, только всплеснула руками: «Ивар, но артисты ведь так громко говорят...» Однако я уже сделал свой выбор» – рассказывает Ивар Калныньш в книге «Моя молодость – СССР». Благодаря этому решению он стал одним из самых узнаваемых актеров советского кинематографа.

Многие из нас знают его как Тома Фенелла из картины «Театр», юного любовника стареющей примадонны. Эта роль в один миг сделала Ивара Калныньша знаменитым на всю страну. Другие же узнают актера в роли импозантного москвича Герберта из киноленты «Зимняя вишня» или же Фауста из «Маленьких трагедий».

«...Я сижу на подоконнике. Пятилетний, загорелый до черноты и абсолютно счастливый. В руке – конфета. Мне её дал Кривой Янка с нашего двора, калека. За то, что я – единственный из сверстников – его не дразнил. Мама объяснила, что нельзя смеяться над людьми, которые не такие как ты. И я это крепко запомнил...»

УДК 791.44.071.2(47)
ББК 85.373(2)

ISBN 978-5-17-088500-8

© Ивар Калныньш, текст
© Елена Смехова
© ООО «Издательство АСТ»

ГЛАВА 1

ДЕТСТВО НА ЗВЁЗДНОЙ УЛИЦЕ

...Я сижу на подоконнике. Пятилетний, загорелый до черноты и абсолютно счастливый. В руке — конфета. Мне её дал Кривой Янка с нашего двора, калека. За то, что я — единственный из сверстников — его не дразнил. Мама объяснила, что нельзя смеяться над людьми, которые не такие как ты. И я это крепко запомнил...

Где-то вдалеке визжит пила. Тянет стружкой, скошенной травой и свежесваренным крыжовниковым вареньем. Душно! Наш старенький дом вздыхает от жары. Ветер перебирает занавески на окнах, и они трепещут как паруса. А вверху облака — сливочные, будто взбитые венчиком, какие бывают над Ригой только в августе...

..Я родился в первый августовский день 1948 года. Моё детство прошло в Риге на улице Звайгжню, что в переводе на русский язык означает «Звёздная». Несмотря на красивое название, никаким гламуром на нашей улице не пахло. Обычная рабочая окраина. Скромные домики с печным отоплением, несколько деревьев посреди двора, и по периметру — огромные поленницы дров, на которые вечно кто-то из ребятни отчаянно влезал и также отчаянно срывался вниз, ободрав в кровь руки и ноги.

Нас, детей-сорванцов, был целый двор. Как в романе Яниса Гризиньша и в фильме Ады Неретниеце «Республика Вороньей улицы». Когда я смотрю эту картину, то всегда вспоминаю свое детство на Звёздной. Сегодня это тихий престижный центр, со старинными домами, центральным отоплением и – никаких поленниц...

Напротив нашего дома находилось что-то вроде клуба, в котором работали различные кружки, приобщавшие подростков к танцам, рисованию, лепке, музыке и хоровому пению. Но мы, ребятня из окрестных домов, почему-то называли этот очаг культуры «Банькой». И вместо того, чтобы заняться в «Баньке» чем-то общественно-полезным и расширяющим кругозор, предпочитали висеть на заборах или штурмовать поленницы с таким рвением, точно это был Эверест. Замечаний нам особо никто не делал — наши родители работали, и у них были дела поважнее.

* * *

Семья у нас была замечательная: многодетная, работящая и очень дружная. Жили небогато: отец работал автомехаником, мама была домохозяйкой. И всех нас, четверых детей — меня, сестру Илгу и двух братьев Зиедониса и Яниса — с детства приучали к работе. За каждым в семье были закреплены определенные обязанности — несложные, но ответственные, чтобы мы не выросли белоручками.

Отец, как и положено главе семьи, был надежным, немногословным и ничего не повторял дважды. А мать — артистичная, легкая, музыкальная, прекрасно пела. Наверное, если бы не мы, четверо гавриков, которым она посвятила свою жизнь, моя мама могла бы стать прекрасной актрисой или певицей. Я до сих пор помню ее песни — весёлые, бесхитростные, немножко дурашливые.

Попробую перевести на русский хотя бы несколько строчек:

«Очень-очень трудно подобрать ключик к сердцу.

Потому что сначала нужно отыскать замочек,

А для того, чтобы его найти, надо еще посветить фонариком».

В маминых песнях не было высокой поэзии, это песни-экспромты: пока один человек пел первый куплет, другой — сочинял следующий. Зато в них бездна доброты и юмора! Я хочу подготовить цикл «Песни, которые пели наши мамы» и записать его с джаз-бэндом. Это будет привет из детства для всех послевоенных девчонок и мальчишек и посвящение нашим родителям.

* * *

В нашем доме всегда было шумно и весело — у нас часто гостили друзья и родственники. У мамы было семь братьев и сестёр, а у меня, соответственно, множество кузин и кузенов. Дедушек своих я никогда не видел, они умерли ещё до моего рождения. А вот бабушку Юле, мамину маму, отлично помню. Уникальная была женщина. Она осталась вдовой, когда дед погиб в Японскую войну, одна с восемью детьми на руках. И всех поставила на ноги.

Летом, когда мы с мамой и вся наша многочисленная родня приезжали к ней на хутор, бабушка порой нас... путала. Немудрено, если к тебе едет целая детская армия! У тети — шестеро детей, у моей мамы — четверо, у дяди — еще четверо... Полный колхоз внуков! Как всех упомнишь?

Бабуля Юле была с характером — строгая, властная, без сантиментов. Могла запросто теленка

СВЕТЛАНА ИВАННИКОВА:

*«Ивар — это старая школа, по которой так
тоскуют наши девичьи сердца. Цветы, галантность,
красивые слова..*

*И дело не в артистизме Ивара, дело в его абсолютной
естественности. И поэтому это заразительно!*

*Он умеет ухаживать: всегда откроет дверь,
всегда подаст руку... Настоящий джентльмен.*

*И все же, по-моему, амплуа героя—любовника тесно
для этого артиста: в нем столько пародийности,
юмора, самоиронии! »*

Мне один год...

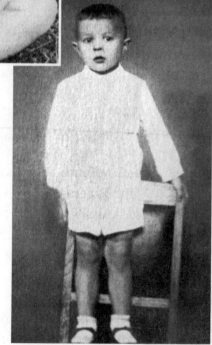

И три года.

убить! Она не говорила, а отдавала команды — четко, безапелляционно, хорошо поставленным голосом. И все ее слушались. А еще она была мастерицей на все руки. Из старых обрезков ткала замечательные коврики, которые потом раздаривала соседям и родственникам.

В те времена любые материалы для рукоделия были в огромном дефиците, а потому бабушка всегда просила нас привезти из города «ненужные тряпки», и мы добросовестно тащили из Риги в село баулы со старыми рваными майками, штанами и рубашками. Бабушка брала ножницы, разрезала их на узкие ленточки... И из этого, как бы сейчас сказали, «секонд-хэнда», у неё получалось настоящее чудо — яркие пестрые половички, похожие на радугу.

За своим станком она сидела гордо, по-королевски выпрямив спину, и со строгостью взирала на нас, своих городских внуков. Помню, подошел к ней поближе, залюбовался узором коврика... «Ты чей будешь?» — строго спросила бабушка Юле. «Сын Анны», — ответил я робко и тут же получил задание: «Вот что, сын Анны, пойди в большую комнату и принеси мне с комода жестяную коробку с нитками».

Мама очень следила за тем, чтобы мы все, братья и сестры — родные и двоюродные, — помнили свое родство и дружили между собой. А перед смертью просила нас не забывать друг о друге и хотя бы раз в год собираться вместе.

К сожалению, выполнять мамин завет не всегда получается: у каждого свои дела, семьи, заботы. Но однажды, уже после маминой смерти, мы все же собрались и нарисовали свое родовое дерево. На нем получилось более 70 веток — с разными фамилиями, разными судьбами и разной географией: от Латвии до Австралии, где живет сейчас моя сестра Илга. Не могу сказать, что мы в курсе проблем друг друга или созваниваемся каждый день. Но помним: мы — одна семья.

* * *

Я никогда не был пионером. Потому что этого не захотела мама. Ее родной брат был выслан в Воркуту на 20 лет. Одинадцать из них он отсидел исправно, после чего власти извинились перед ним и сказали, что произошла ошибка... Говорят, что дядю посадили по доносу, написанным соседом, который был влюблен в его жену. В то время этого было вполне достаточно для того, чтобы сломать человеку жизнь...

В советские времена об этом не говорили вслух, только шепотом, на кухнях, но я всегда

**Мои родители —
Эдмунд и Анна
1939 год.**

**Наш детский ансамбль в Доме культуры
(в просторечии «Банька»). Я — четвертый слева.**

понимал, что что-то не так. В семье мне рассказывали одно, в школе учили совсем другому... Я был в недоумении, спрашивал: «Мама, а кто прав-то?» Она отвечала: «Права я, а ты, Ивар, учись хорошо».

Когда мой дядя вернулся из тюрьмы, мама жестко заявила, что ни я, ни мой брат Янис не будем щеголять с красным галстуком на шее. Не помню, чтобы я как-то особенно переживал по этому поводу. Ну не пионер, и ладно!

Среди друзей нашей семьи и соседей было немало тех, кто пострадал в эти годы. Многих латышей ссылали в Сибирь только за то, что они имели «несметное богатство» в виде лишней козы или коровы во дворе. Процесс раскулачивания начался в Латвии с 40-х годов и затронул множество латышских семей.

Люди совершенно не понимали, что происходит: куда они едут в теплушках, голодные, нищие, оторванные от родного дома. А главное — зачем? За что? В чем провинились? И только когда их уже высаживали из вагонов где-нибудь там, в Красноярске, куда их определяли на так называемое «вольное поселение», то предъявляли нелепое обвинение: «Это вы виноваты в том, что война началась». На самом деле стране просто нужны были люди, которые осваивали бы необъятные просторы Сибири. Государственная машина работала на полную мощь, и люди в ней были всего лишь винтиками.

Сколько искалеченных судеб, сколько надломленных людей... Замечательный фильм «Долгая дорога в дюнах» рассказывает как раз об этом времени. И если для кого-то тема сталинских лагерей остается дискуссионной, то лично для меня она давно ясна и понятна. Система, разделившая народ на сидящих в лагерях и смотрящих за ними, для меня — безусловный факт, который для меня не нуждается ни в доказательствах, ни в оправдании.

Например, моя первая жена Илга родилась на руднике Диксон (поселок Усть-Порт) — так у нее в паспорте было записано. Туда в 1940 году выслали из Латвии ее бабушку и маму, которой в ту пору было 11 лет. Повзрослев, она влюбилась там в немца из-под Петербурга. Они вместе росли на руднике и дружили с детства. Так, в ссылке, появилась на свет моя жена, которая в свою очередь подарила мне двоих дочерей...

В Сибири и сейчас живут потомки ссыльных из Латвии. Во время гастролей по этому краю мне не раз доводилось встречаться с людьми, по фамилиям которых я безошибочно определял своих соотечественников. Даже если эти фамилии звучали на

**В компании
красоток**

**С Мирдзой Мартин-
соне в спектакле
«Танцы в праздник
Лунаса»**

русский манер — например не Озолиньш, а Озолин, не Крастиньш, а Крастин....

Однажды, будучи на гастролях в Воркуте, я узнал что недалеко, буквально в 200 километрах, находится местечко под названием Инта. Откуда в этих краях взялся город, носящий женское латышское имя? Я спросил об этом у старожилов, и они объяснили мне, что городок Инта действительно получил название от имени девушки, которая спасала людей в лагерях. Она была латышкой по национальности, и звали ее Интой. Так это или не так — не знаю. Возможно, просто одна из городских легенд. Но мне почему-то кажется, что это правда.

В Воркуте во время той поездки нас принимал губернатор. Узнав, что я из Латвии, он пожал мне руку с особым значением и несколько раз тихо повторил: «Спасибо за то, что вы приехали к нам. Большое вам спасибо!» Латышей в Сибири знают и помнят. Они — часть истории этого края. Жертвы того страшного времени. Без вины виноватые люди, потерявшие родину...

* * *

Лет в семь у меня началась новая жизнь. Вернее, жизнь в новом доме. Мы оставили Звёздную улицу и переехали в другой район Риги под названием Тейка. А случилось это так: после смерти

Сталина рижским семьям стали разрешать брать кредиты на строительство собственных домов. И мой папа стал одним из тех, кто рискнул одолжить деньги у государства и построить свой дом. Отец вообще был очень основательным и хозяйственным. Правда, с того времени мы стали видеть его заметно реже: он очень много работал, ведь кредит нужно было отдавать.

Свободу в строительстве нам ограничили сразу. Никакого полета фантазии, никакой креативности и самодеятельности. Строить дома разрешалось только по трем утвержденным и одобренным где-то там, наверху, проектам. По-советски однотипно, уныло и скромно. Три комнаты, один гараж, одна веранда — не больше. Но нам и это казалось роскошью. Ведь у нас с братом Янисом теперь появилась своя комната! Не нужно было таскать дрова, отец провел в дом газовое отопление, что по тем временам приравнивалось к космическим технологиям. А еще у нас в семье появился автомобиль: папа купил трофейный «Мерседес» — старенький, разбитый, дышащий на ладан. Собственная машина в то время вызывала у людей удивление, и каждый, кто имел это чудо техники, считал себя королем шоссе.

Отец возился со своим автомобилем сутки напролет: вечно что-то чинил. А когда все-таки выезжал из гаража, то вид автомобиля сзади озадачи-

**В фильме Георгия Юнгвальда-Хилькевича
«Двое под одним зонтом» 1983 год**

вал даже меня, совершено в ту пору не знакомого с законами физики и механики. Задние колеса машины шли не параллельно друг другу, а криво, под небольшим углом, напоминая букву V, и только потом выпрямлялись.

* * *

В новом районе, куда я переехал вместе со своей семьей, тоже оказалось множество детей. Мы, мальчишки из соседних домов, как-то очень быстро подружились. Зимой катались на лыжах и санках с обледенелой горки. Летом ходили на озеро Линьэзерс купаться. Это было настоящее приключение — дорога лежала через чистый светлый лес, с деревьями до самого неба, журчащими родниками, щебетом птиц и солнечными полянками. Мы шли гурьбой, а за нами бежали за компанию соседские собаки. Лес оглашался смехом и радостным лаем. Мы плавали наперегонки, ныряли и отплевывались, фыркали и хохотали. И счастье рядом с нами тоже ныряло, кувыркалось, хохотало, фыркало... Это было последнее лето перед школой.

На обратном пути мы собирали ягоды, которых в лесу росло видимо-невидимо. Они окрашивали поляны в цвета драгоценных камней: земляника — в рубиновый, черника — в сапфировый. Россыпи сокровищ... И дома каждого из нас ждало лакомство — ягоды с молоком. Куда вкуснее современных «марсов» и «сникерсов».

* * *

...Меня приняли в рижскую школу № 36, недалеко от дома. А до этого — взяли в приготовительный класс на целых две июньских недели. Там у меня сразу появился друг Эрик — самый лучший, самый настоящий и самый закадычный. Так — навсегда и безоглядно! — дружат только в детстве. Мы сидели с ним за одной партой, ходили вместе домой, делились секретами и совершенно не собирались расставаться. Никогда. До конца жизни.

Однако первого сентября в школе нас ждал неприятный сюрприз. Нас распределили в разные классы: Эрика — в «А», а меня – в «Б». Конечно, классы были рядышком, мы могли видеться на переменках. Но для меня это стало очень большим переживанием, если не сказать шоком. Эмоции просто захлестывали, а сердце разрывалось на части. «Как так? Почему нас с Эриком разлучили? А как же наша дружба?»

Прошло много лет, прежде чем я понял, что судьба не только сводит людей, но и разлучает их. В этом мире нет ничего постоянного: отношения

ЭММАНУИЛ ВИТОРГАН:

«Мне очень симпатичен мой коллега и друг Ивар Калныньш. По всем статьям! Он все время в поездах-самолетах, все время вкалывает, и это замечательная профессиональная черта. Ивар — профессионал с большой буквы и потрясающий человек. Каким бы он ни казался со стороны — на самом деле Ивар очень скромный. Он умеет общаться и держать свои обещания, умеет дружить и быть непосредственным. Умеет быть всегда рядом и поддержать, подставив свое плечо...

Ивар нужен всем: друзьям, которым без него плохо. Зрителям, которые наслаждаются его талантом. Семье, которую он делает счастливой. Я очень рад, что у него подрастают дочки, продолжательницы рода, и хочу, чтобы выросли такими же прекрасными людьми, как их отец. Надеюсь, что Ивар будет всех нас радовать еще много-много лет своими ролями, талантом, загадкой, искренностью, улыбкой...»

между людьми хрупки и недолговечны, а расставания неминуемы. Но тогда я ничего этого не знал. И разлука с Эриком стала для меня маленькой трагедией, детским потрясением и самой первой в жизни несправедливостью.

Учился я неплохо. Отличником не был, но и в двоечниках никогда не числился. К школьным оценкам в моей семье относились очень серьезно. Один только строгий взгляд мамы, не говоря уже о крепком папином подзатыльнике — отец был скор на руку и ничего не повторял дважды! — могли приковать меня к письменному столу, чтобы провести лишний час за уроками. Хотя... что там лукавить: больше всего меня тянуло на улицу. Там было так много интересного и притягательного: вокруг строились частные дома, повсюду лежали груды песка и кирпича, высились горы труб и арматуры. Что еще надо мальчишкам для счастья? Это был целый мир!

Однажды мы обнаружили возле одного из домов сварочный аппарат и выяснили, как он работает. Карбид, которым сварщики заправляли аппараты, произвел на нас неизгладимое впечатление. Вот это вещь! Шипит, урчит, пенится...

Стащить немножко карбида не составило никакого труда: в те времена никто ничего ни от кого не прятал. Этот карбид мы принесли в школу и вы-

На отдыхе

Кадр из фильма Родиона Нахапетова «Идущий следом»

С Гунаром Цилинским (Майклом из фильма «Театр»)

сыпали в туалет, чтобы посмотреть — бабахнет или нет. Эффект и в самом деле был впечатляющим: вся канализация в школе забурлила как Ниагарский водопад! Учителя высыпали из учительской в ужасе: «Кто?! Кто это сделал?! Признавайтесь!» Но мы не признались, и виновных так и не поймали. О нашем хулиганстве папа узнал случайно: ух, и досталось же нам тогда от него! Мы сами проболтались. Перешептывались, припоминая, как здорово забурлило-зажурчало, обсуждали, где взять карбида еще, чтобы повторить этот эксперимент, а папа услышал...

Мама была мягче. Понимала, ласкала, прощала, гладила по голове, как и положено маме. Помню, однажды летом меня отправили в пионерлагерь — туда и нас, не пионеров брали! Из этого лагеря я пришел домой пешком, несмотря на приличное расстояние. Все там показалось мне чужим и странным: нужно было обедать за большим, неуютным, как в казарме, столом. Выполнять какие-то дебильные команды по свистку, звонку и горну. Утром нас строили на лагерные линейки, а вечером таким же строем — ать, два! — вели мыть ноги. Мне это категорически не нравилось. Речевки, сборы и переклички почему-то тоже пришлись не по душе. Я решил: дома лучше. Собрался и отправился в город.

Как мой побег прозевали пионервожатые и воспитатели и досталось ли им потом за это, я не знаю. Помню только, что меня переполняло чувство радости и гордости, когда я, отмахав пешком бог знает сколько километров, усталый, но страшно довольный собой, подходил к своему дому.

Мама все поняла с порога: «Ивар, ты что? Вернулся? Тебе не понравилось в лагере?» Я кивнул. «Ну, что же ты стоишь? Заходи скорее, ты дома», — сказала она и погладила меня по голове.

ГЛАВА 2

ПОБЕГ В КИНО

Моё детство закончилось рано. Намного раньше, чем у других моих сверстников. В 14 лет я решил, что пора работать и зарабатывать деньги. Нет, никто в семье меня к этому не принуждал, никто не попрекал куском хлеба. Напротив, родители делали все возможное для того, чтобы мы ни в чем не нуждались. Просто мне захотелось иметь свои карманные рубли — на кино, мороженое, пластинки.

«Ты же ничего не умеешь! Хочешь зарабатывать — иди на завод, там тебя всему научат», — посоветовал отец. Папа хотел, чтобы я выбрал надежную мужскую специальность, например освоил слесарное дело. И я устроился на завод учеником слесаря. А параллельно продолжил учебу в вечерней школе рабочей молодежи.

В то время детский труд не слишком приветствовался. Помню, меня вызвали на какую-то комиссию, которая долго и нудно решала, сколько часов мне, подростку, положено работать. Но, тем не менее, я своего добился. Так началась моя взрослая жизнь. По вечерам — учебники, днем — работа в трамвайном депо: я разбирал мосты, ходовую часть трамваев и получал за это неплохие деньги. А затем освоил параллельную специальность — стал наладчиком.

В вечерней школе рабочей молодежи я оказался самым младшим. Все взрослые, многие после армии. И я, четырнадцатилетний пацан в стильном костюмчике, на который, кстати, сам заработал.

Комсомольской организации в нашей школе не было, а потому комсомольцем я так и не стал. Как и пионерия, ВЛКСМ прошел мимо меня. Но я этому факту совсем не огорчился. К тому времени у меня появились совсем другие интересы.

В те годы многие подростки болели «битломанией», и я не стал исключением из их числа. Научился играть на гитаре, отрастил длинные волосы, обзавелся брюками-клеш. Мы создали свою музыкальную группу, исполнявшую песни «Битлз» на английском и хиты того времени — твист, рок-н-ролл. Успех пришел быстро. Наша группа была нарасхват: зимой выступала в Риге, летом — в Юрмале. По принципу «мы играем на похоронах и танцах»...

Кадры из фильма "Театр" с Вией Артмане (Джулия Ламберт). В роли Тома Фенелла

С тех пор музыка всегда со мной. Что бы я ни делал, чем бы ни занимался, меня тянет к гитаре и микрофону. Возможно, я и стал бы музыкантом, и думаю, что неплохим, если бы не... Юл Бриннер.

***

Недалеко от нашего дома находился кинотеатр «Тейка», и я смотрел все фильмы, которые там крутили, благо сеанс стоил всего 10 копеек. Картины шли замечательные: «Тарзан», «Звуки музыки», советские ленты про Ивана Бровкина, сказки Роу и Птушко. Но больше всего меня потрясла «Великолепная семерка»: я смотрел ее не раз и не два. Юл Бриннер на экране завораживал: дрался как лев, мастерски уходил от погони и всегда выходил победителем из любой передряги — короче, вел себя как настоящий супермен. Каждому мальчишке хотелось быть на него похожим.

...Спустя много лет, в Ванкувере, у меня состоялась аудиовстреча с кумиром моего детства. Кто-то включил пластинку и полился голос, в котором смешались пронзительная боль, грусть, надрыв и еще... что-то неуловимое, очень русское. А слова были странные — старинные, половину из которых я тогда не знал... Оказалось, что это Юл Бриннер поет русские романсы, ведь он был русским по происхождению. Настоящее его имя — Юлий Бринер. Так его назвали в честь деда. А вторая «н» к фамилии добавилась уже потом, в Америке.

Услышав романсы Юла Бриннера, я воскликнул: «Я тоже хочу такую пластинку!» Американские друзья помогли мне разыскать и купить диск, и я привез его домой. Слушаю до сих пор с удовольствием, под настроение...

* * *

Назвать день и час, в который я точно решил стать актером, я вряд ли смогу. Все сложилось как-то само собой. Мне нравилось кино, а при Рижской киностудии набирали студию молодого актера. Там у блистательного педагога Арнольда Лининьша занималась моя сестра Илга: девчонок хватало, а вот парни были в дефиците — требовались ребята в возрасте от 14 до 20 лет. Арнольд Лининьш попросил девушек, занимавшихся в студии, привести знакомых мальчиков. «Пойдете со мной?» — предложила Илга нам с братом Янисом. Я ничего не терял и потому согласился.

Мама, узнав о том, что я хочу учиться на актера, только всплеснула руками: «Ивар, но артисты ведь так громко говорят...» Однако я уже сделал свой выбор.

Поначалу занятия показались мне забавными: я хихикал на лекциях и не воспринимал их всерьез. Выступая с музыкальным ансамблем, я уже знал, что такое сцена, поклонницы, аплодисменты, и считал себя умудренным опытом артистом. «Не хватало еще в ТЮЗе зайчиков играть», — думал я. Это казалось мне в актерской профессии самым оскорбительным и нелепым: взрослые дяди и... придуриваются! Но что-то на тех занятиях все-таки меня зацепило. И уже спустя некоторое время я относился к обучению со всей серьезностью.

После окончания студии киноактера я продолжил учебу. Так счастливо сложилось, что в тот год Арнольд Лининьш набирал курс в Латвийской Консерватории им. Язепа Витола и сказал мне: «Давай!» Так я стал студентом театрального отделения.

Если вы ждете от меня рассказов о бурной студенческой жизни, капустниках, вечеринках, пьянках и гулянках, то совершенно напрасно. На первом курсе я влюбился в девушку по имени Илга. Продал самое дорогое, что у меня было — гитары и аппаратуру, — и на вырученные деньги мы сыграли свадьбу.

Вскоре родилась первая дочка. Педагоги крутили пальцем у виска: «Ивар, ты с ума сошел? Какая женитьба, какие дети на первом курсе?» Но меня

Я и мои любимые девочки

было не переубедить и не переспорить. Я знал, что я делаю. Кстати, прогнозы педагогов не оправдались: семья не помешала мне закончить учебу. А после окончания консерватории меня приняли в самый знаменитый театр Латвии — художественный театр «Дайлес» им. Райниса.

* * *

Кино ворвалось мою жизнь очень рано и внезапно, как тайфун: буквально со второго курса меня стали приглашать сниматься в фильмах. В ту пору телевидение еще не захватило тех позиций, которые удерживает сейчас. Это нынче оно властитель дум и душ, учит, воспитывает, навязывает, диктует... А тогда главнейшим из искусств, по определению известного вождя, было кино и только кино. Старое, доброе, в чем-то, наверное, наивное, но очень грамотное и профессиональное.

Никакой «цифры» в помине не было — только старая добрая пленка «Свема». А уж если удавалось «урвать» импортный «Кодак», то счастью киногруппы и вовсе не было предела.

Метр пленки, как сейчас помню, стоил один рубль. На эти деньги в ту пору можно было плотно пообедать. А потому к съемке каждого эпизода готовились очень тщательно: чем меньше ду-

С Александром Збруевым

блей — тем больше экономия. Это теперь работа идет по принципу: снимаем на всю катушку, а что не получится — вырежем. А тогда все должно было быть ювелирно точным, в десятку. И само собой, никаких мониторов — работали «втемную», нигде на себя со стороны не посмотришь, не оценишь, не переиграешь...

Удивительно, но на качестве фильмов это совершенно не отражалось: кино снималось добротное, качественное, запоминающееся.

* * *

В то время актеры еще не знали слова «кастинг». Был отбор. На студию приходили ассистенты режиссеров, искали юные дарования, молодые лица. Режиссер тщательно отсматривал каждого артиста: сравнивал, прикидывал, насколько он соответствует его замыслу, как будет смотреться в кадре... Непременно делались фотопробы и кинопробы: в костюме и без, с партнером и в одиночку. Подошел — здорово, не подошел — ну что ж. «Пробы — это еще не проверка таланта артиста», — говорили нам в утешение. Хотя, конечно же, каждому хотелось «подойти».

Сложная машина под названием «киносъемка» запускалась в ту бытность постепенно и основательно. В сценарии все было прорисовано и прописано до деталей: здесь пошел крупный план, там проехала машина, тут начинается мелодия, а вот здесь актер падает... Художники выставляли эскизы, от руки рисовали костюмы и интерьеры. Все делалось на совесть.

Это сегодня каждый может прийти на съемки в своей одежде — режиссер еще и спасибо скажет, что тратиться на костюмы не надо! Это сейчас каждый актер может запросто попасть в ситуацию, когда и сценария ещё толком нет, а фильм уже вовсю запущен... И никто не знает, сколько метров будут снимать, какая музыка прозвучит в кадре, а какая — за кадром.

Доходит до смешного: прихожу на съемку, мне говорят: «Сегодня мы снимаем сцену разговора с внуком!» — «Но мы вчера уже снимали разговор с внуком», — осторожно напоминаю я. «А это совсем другой разговор с внуком!» — объясняют мне. Как такое возможно? Очень просто! Оказывается, на картине работает несколько сценаристов и каждый из них написал свой вариант, а поскольку окончательного сценария нет, то я («Ивар, пока ты тут и никуда не уехал!»), должен записать разные версии, авось какая-то из них и пригодится... А уж о том, чтобы партнеру в глаза посмотреть, вообще порой мечтать не приходится: камера-«восьмерка» позволяет снимать любую сцену без визави, поговорил с компьютером — и ладно. Снято, всем спасибо...

Нет, я не жалуюсь и не ностальгирую по тем временам. Просто рассказываю — как было и как стало. Я не из тех, кто идеализирует советское прошлое. Но мне очень жаль, что сегодня в кино так много случайных людей, и досадно, что славой современного кинематографа обласканы лишь те, кто умеет делать кассу.

Мне безумно жаль советских актеров и режиссеров, создавших настоящие киношедевры, которые умерли в нищете, незаслуженно забытые и униженные тем, что средств не хватает даже на элементарные лекарства.

Помню разговор с режиссером Эмилем Лотяну, который снял нашумевший фильм «Табор уходит в небо». Кассовый успех был очевиден — картину купили сотни стран мира. «А тебе что с этого?» — спросил я, имея в виду материальную сторону вопроса. «А ничего! — грустно ответил Лотяну. — Зато мне разрешили снимать другой фильм, а могли ведь и не разрешить...»

ГЛАВА 3

ПРОСНУТЬСЯ ЗНАМЕНИТЫМ

Принято считать, что моя кинокарьера началась с фильма Яниса Стрейча «Театр» (по роману Сомерсета Моэма), где я сыграл красавчика Тома Феннела, молодого любовника Джулии Ламберт, роль которой блистательно исполнила актриса Вия Артмане. Отчасти это правда — именно после этого фильма я, что называется, «проснулся знаменитым». Но на самом деле это был далеко не первый мой «киношный» опыт, а девятая или десятая по счету картина.

До этого мне предлагали роли в самых разных фильмах — как «Мосфильма», так и Рижской киностудии. Но эти роли были такими незначительными, что не оставили никакого следа в моей памяти. Знаете, как это бывает — прошло мимо и не зацепило. Но самый первый свой фильм, конечно же, помню. Это был учебный дипломный фильм замечательного латышского режиссера Ансиса Эпнер-

**На съемках фильма «Взбесившийся автобус»
с режиссером Георгием Натансоном 1990 год**

С актрисой Анной Самохиной

са. Даже не фильм, а этюд. Мы снимали его зимой, в усадьбе Рудольфа Блауманиса — латышского писателя XIX века, которые современники называли «латышским Чеховым». Место живописнейшее и очень романтичное. Все приусадебные постройки: сарай с сеновалом, хлев, конюшня, мельница, баня сохранены точь-в точь такими, какими были при жизни Рудольфа Блауманиса. Тропинки вокруг строений уводят к громом разбитому камню, стошаговой дорожке, яблоне Нолиня, скульптуре Эдгара — героя одного из произведений Блауманиса «В огне», по которому потом на Рижской киностудии была снята очень популярная картина «Эдгар и Кристина»...

По замыслу Ансиса Эпнерса, мой герой заблудился и попал в странный мир писателя. Собственно говоря, от меня не требовалось ничего особенного: я должен бы удивляться, восторгаться и время от времени делать «большие глаза». Но сам процесс мне запомнился, как запоминается первая любовь.

* * *

До съемок фильма «Театр» я уже был знаком с режиссером Янисом Стрейчем. «Вот смотри, что я буду скоро снимать», — поделился он как-то со мной и показал сценарий. Я прочел и пришел в восторг. Нет, я и раньше читал Сомерсета Моэма, но это была раскадровка к бенефисному фильму Артмане. От сценария просто веяло гениальной картиной. И я сразу понял: роль Тома — моя.

Правда, вместе со мной на роль Тома Феннела пробовался еще один парень, но неудачно. Я оказался лучше. Стрейч видел актеров насквозь, как рентген. Посмотрите, какой блестящий актерский состав он подобрал для «Театра»! Все персонажи — в десятку: Гунар Цилинский (Майкл, муж Джулии Ламберт, самый красивый мужчина Лондона), Петерис Гаудиньш (Роджер, сын Джулии и Майкла), Эльза Радзиня (подруга Джулии)... Даже Илга Витола (служанка Иви, к которой героиня Вии Артмане обращалась не иначе как «Ах, ты моя старая корова!»), которая не была профессионалом, сыграла замечательно. Хотя ей пришлось за одну заплату быть на нашей картине и реквизитором, и шофером, и актрисой. Точь-в-точь как ее персонажу Иви, работавшей на Джулию Ламберт!

Украшением всей этой честной компании стала блистательная Вия Артмане. Королева экрана, лауреат, депутат, делегат... Этот фильм был для Вии бенефисным, так сказать, подарком от партии и правительства. То, что Вия делала на съемочной площадке, не передать словами: она царила, парила, порхала, удивляла... И была душой всей съемочной группы!

**Кадры
из фильмов
«Сильва»
и «Зимняя
вишня»**

Меня потом часто спрашивали: расскажите, как это — играть любовные сцены с Вией Артмане? Легко! Вия была не просто невероятно талантливой актрисой и прекрасной партнершей по сцене (в рижском театре «Дайлес» мы с ней играли в чеховской «Чайке»: я — Треплева, Вия — Аркадину), но еще и очень умной женщиной. Вокруг нее всегда находилось множество завистников — красоту редко прощают. А Вия Артмане была из тех, кому не нужно было заходить в комнату дважды, чтобы ее заметили. Вошла — и ослепила. И это тоже талант...

Джулия Ламберт в исполнении Артмане предстает перед зрителем и мудрой женой, и чувственной любовницей, и мстительной стервой. Потому что она — Женщина и Актриса! А Женщине-Актрисе подвластно все. И прощается тоже абсолютно всё. Тем более, если она гениальная.

О своей героине Вия Артмане говорила так: «Джулия близка всем. Такую женщину каждый мужчина хотел бы иметь рядом. Хотя она и негодяйка, но негодяйка очаровательная. Но прежде всего Джулия — человек очень честный по отношению к себе, к своим недостаткам, и в этом ее прелесть. Она честно анализирует себя, свои проделки, романы, при этом она очень изысканная и, я думаю, ранимая. Она привлекательна, потому что честна. Дай бог каждой женщине быть такой честной».

...Вот уже несколько лет Вии Артмане нет с нами: она перенесла несколько инсультов, была очень больна и последние годы жизни держалась на этом свете просто каким-то чудом. Но Вия навсегда останется в моей памяти, как прекрасная партнерша, как дорогой мне человек.

На похоронах этой великой актрисы режиссер Янис Стрейч произнес замечательные слова:

— Мне посчастливилось работать с настоящей, истинной звездой, именем которой уже при ее жизни была названа одна из малых планет. А, как известно, когда звезды умирают, их свет еще долго идет к Земле. Так будет и с Вией Артмане — она ушла, но ее роли будут не одно десятилетие нести нам свет ее таланта, ее души. Ей пришлось пережить немало — у артистов такого масштаба всегда хватает завистников. Однако Вия была очень умна и к жизни подходила всегда философски. В самые горькие и сложные моменты не впадала в панику, вела себя сдержанно. Проявляя большое душевное благородство, никогда не мстила...

Она была брендом Латвии и тогда, когда такого самостоятельного государства не было... Она несла в мир прекрасный, благородный образ латышской актрисы. И вот настал момент, когда закончилась ее земная жизнь — и началась легенда...

* * *

После фильма «Театр» людская молва тут же, естественно, приписала нам с Вией Артмане бурный роман. «Первая картина — и сразу в паре с блистательной Артмане, ах, неспроста это, неспроста...» К великому счастью, в 1978 году еще не существовало желтой прессы, а потому нас никто не третировал вопросами о том, «было у нас или не было». Мы с Вией держались как партизаны на допросе — ничего не подтверждали и ничего не отрицали. А зачем?

Публика в то время часто ассоциировала актеров с их персонажами и искренне удивлялась тому, что Вячеслав Тихонов не служит в разведке, а Василий Ливанов не живет на Бейкерстрит. Зрителю нравилось верить в то, что любовь убедительно сыграна на экране лишь потому, что она существует между партнерами на самом деле. Вообще-то это неплохо — верить в то, что любовь есть. Только не надо приписывать это чувство людям по своему усмотрению... Открою большой секрет: романы между актерами на съемочных площадках случаются не так часто, как кажется зрителю. Больше слухов и разговоров...

Впрочем, гуляла и еще одна сплетня. Мол, это Вия Артмане посоветовала меня Стрейчу на роль

Тома Феннела. Журналисты до сих пор пишут, что в фильм «Театр» на эту роль я попал исключительно по ходатайству великой Артмане. Вероятно, кому-то очень хочется, чтобы я, как мой герой Том Феннел, сделал себе карьеру через постель великой актрисы. Я меньше всего хочу в чем-то оправдываться или что-то доказывать. Если народу хочется думать, что я и Том Феннел — сиамские близнецы, то ради бога. Если людям не лень, пусть включают фантазию и в меру своей испорченности домысливают и докручивают все, что угодно.

Однако нужно все-таки понимать, что в советское время на роль меня никак не могла утверждать партнерша, пусть даже очень знаменитая. Не тот уровень! В ту бытность всем заправляло госкино, которое выполняло «государственный план в области киноискусства». Не было спонсоров, которые продвигали в кино своих, зато существовали худсоветы, которые рассматривали каждого претендента на роль под микроскопом, с пристрастием.

Просто так совпало: я подходил по типажу, этот типаж понравился Стрейчу и Артмане. Увидев мои пробы, Вия тоже дала одобрительную оценку. Ну и звезды где-то там наверху, вероятно, сложились так как надо, хотя я в астрологию не особо верю...

**В роли полковника
Орлова в «Взбесив-
шемся автобусе»**

**С актрисой
Региной Разумой**

* * *

Мало кто знает о том, что поначалу режиссировать фильм «Театр» по Сомерсету Моэму предложили не Янису Стрейчу, а Гунару Цилинскису. Он намеревался снимать эту картину в Лондоне: буква в букву, слово в слово, на фоне всех достопримечательностей и реалий доброй старой Англии.

Однако бюджет картины «Театр» оказался невелик — всего 350 тысяч советских рублей. По тем временам просто копейки. И когда Цилинскис узнал, что поездка в туманный Альбион не светит, то отказался от съемок. А Янис Стрейч согласился и вышел из ситуации очень остроумно: он решил не ехать за тридевять земель, а снимать фильм дома, в Риге. Это пошло только на пользу картине! И как же это замечательно, что в кадре нет никакого Биг Бена или Темзы... Они и не нужны! В этом и есть вся прелесть фильма «Театр» — в нем абсолютно нет Лондона. Зато по всему фильму рассыпано множество «маячков» — чисто английских знаков, которые воспринимаются гораздо лучше и острее, чем любая документальная история.

...Фильм «Быть Джулией» Иштвана Сабо я, конечно, тоже смотрел. Там немало находок, прекрасные актеры, замечательная ретроспектива Лондона 30-х годов. Если сравнить эти два фильма, то у нас картина получилась больше театральной, и, по-моему, она гораздо ближе к Моэму. Это не от бедности: просто в фильм вложили душу. Все для нас в этом фильме было в новинку. Несоветский образ жизни. Буржуазные атрибуты: смокинг, фрак, белые перчатки... Англия 30-х годов, страна, в которой никто и никогда не был. К тому же мы работали в условиях, приближенных к экстремальным, за копейки и не без оглядки на цензуру, которая не дремала.

Помню, снимали эпизод, когда мы с сыном Джулии Роджером (актером Петерисом Гаудиньшем) купаемся. По сценарию я, вынырнув из реки, ухожу в кусты с полотенцем, чтобы отжать трусики. В этот момент появляется Джулия Ламберт (Вия Артмане) со своей служанкой, которая несет за ней кресло. А мой Том, как и положено скромному юноше, смущается.

Сцена, как понимаете, по советским меркам суперэротическая и шоковая: с меня должно было упасть полотенце. На площадке зашел спор: как снимать. Режиссер Янис Стрейч предложил два варианта. Первый — «шведский», то есть более смелый: полотенце падает, и я на долю секунды остаюсь голым, что достаточно эффектно, но не соответствует моральному кодексу строителя коммунизма, а потому рискует быть вырезанным цензурой. А второй — «польский», без обнажёнки, что менее эротично, зато отвечает советской морали, а значит, имеет шанс остаться в картине: полотенце падает, но не до конца, я успеваю подхватить его на лету и – никакого стриптиза. Мы сняли оба варианта. Но в фильм прошел, конечно же, «польский», как более высокохудожественный.

Сейчас об этом даже смешно вспоминать, но тогда худсоветы отсматривали материалы очень тщательно. И зорко следили за тем, чтобы на экране не было никакой «аморалки» или антисоветчины.

Помнится, во времена борьбы за трезвость, в фильмах строго-настрого запретили выпивать. А мы снимали в это время фильм «Малиновое вино», название которого шло вразрез не только линии партии, но и всей антиалкогольной кампании. Однако переименовывать фильм не стали. Получилось очень забавно: дело происходит на дне рождения, но никто не пьет. Никаких бокалов и никаких бутылок. Ни одного тоста. Хозяин отправляется за малиновым вином и... не возвращается, погибает. И его смерть сразу приобретает символичный оттенок — вот, мол, так будет с каждым, кто выпивает. Смешно? А тогда было в порядке вещей: идеологические игры, в которые играли абсолютно все, никто не отменял, хотя в глубине души никто в них не верил и не принимал всерьез. Сейчас это называется двойными стандартами. Впрочем, я отвлекся...

**На сцене театра
«Дайлес».
В роли
Миндаугаса**

**Таким меня
увидел режиссер
Янис Стрейч**

ИРИНА ВИТОРГАН:

«Ивар принадлежит к той немногочисленной категории артистов, в котором идеально совпали большой актерский талант и лучшие человеческие качества. Интеллигентный, учтивый, выдержанный, он умеет слушать и слышать.

Ивар — блестящий профессионал, искренне переживающий за каждую роль, каждый кадр. Я видела его в кино и в театре, в общении со зрителем на творческих вечерах — Ивар Калныньш постоянно растет, постоянно в поиске. А как он поет Вертинского!

Впрочем, вне сцены Ивар очаровывает не меньше: это неравнодушный, отзывчивый и очень надежный человек. А по тому, какими влюбленными глазами он смотрит на свою жену Лауру, сразу становится понятно, что Ивар — мужчина, который умеет сделать любимую женщину по-настоящему счастливой».

Картина «Театр» имела бешеный успех. Янис Стрейч признался, что таких оваций, как в день премьеры фильма в Доме кино, он никогда в своей жизни не слышал. А для меня этот фильм стал поворотным. После него меня стали узнавать на улицах.

Популярность актера — это своего рода оценка актерского труда. Причем оценка приятная. Я не верю артистам, которые говорят: «Ах, какой кошмар эта слава, меня она так утомляет...». В большинстве случаев — это вранье чистой воды или лукавство. А может быть, мне просто повезло с поклонниками? По крайней мере, по городу я ходил достаточно свободно: никто не дергал за руки, не показывал на меня пальцем, не фамильярничал.

* * *

После фильма «Театр» меня просто завалили ролями красавцев-любовников, офицеров, ловеласов и серцеедов всех мастей. А таблоиды объявили меня секс-символом. Вы только вслушайтесь в это абсурдное сочетание слов: «секс-символ»: ничего глупее, по-моему, выдумать невозможно! Я считаю, что в сексе не нужно быть символом, а нужно быть участником. По крайней мере, меня такой вариант устраивает гораздо больше. Все эти титулы, как и конкурсы красоты, просто такие амери-

С семьей Виторганов — Эммануилом и Ириной нас связывает давняя дружба

Фото для желтой прессы

канские штучки. Ну как можно всерьез заявлять на весь мир, что это самый красивый мужчина планеты, а та самая красивая женщина мира? Это же бред!

Что же касается предложений в кино после фильма «Театр», то они и вправду оказывались довольно однотипными. И в этом, на мой взгляд, не было ничего плохого. Например, сразу после «Театра» пригласили в «Сильву» на роль Эдвина, где я сыграл вместе с очаровательной рижанкой, солисткой Рижского театра оперетты Жанной Громовой. Кстати, спустя много лет я встретил ее в Израиле, и мы тепло обнялись.

Критики писали, что, поручая мне однотипные роли, «режиссеры безжалостно эксплуатировали мою внешность». Критикам, конечно, виднее. Но я был совершенно не против такой «эксплуатации»! Как ни крути, а у каждого актера свой типаж, выше которого не прыгнешь. Каждый артист приходит в фильм со своей физикой, лицом, нутром, духовным багажом. Снимите в одной и той же роли, к примеру, Олега Янковского и Николая Бурляева, и это получатся совершенно два разных фильма! И если режиссер угадал, как использовать природные данные артиста, то, значит, он настоящий профи — честь ему и хвала. Более того, я считаю: режиссер обязан угадать, попасть в яблочко, безошибочно выбрав из сотни актеров того единственного, который запомнится зрителю на экране — только тогда фильм будет успешным.

Да, возможно, благодаря своей внешности, я не сыграл председателя колхоза или первого секретаря обкома, мимо меня прошли роли трактористов, механизаторов, передовых дояров, слесарей и косарей, но я нисколько не переживаю по этому поводу. Потому что моя внешность — такая, какая есть, — подарила мне множество других интересных возможностей, которые я старался успешно использовать.

Впрочем, были и неожиданные предложения. Родион Нахапетов пригласил меня в фильм «Идущий следом» на роль деревенского учителя, где я сыграл вместе с его тогдашней женой Верой Глаголевой. По сценарию, мой герой работал в детдоме. Думаю, что для Нахапетова это была автобиографическая история.

Для этой роли мою внешность решено было притушить, или, как сказал Нахапетов, «снять журнальность». И меня покрасили в пепельный цвет. Я безропотно согласился: в конце концов, искусство требует жертв. Правда, не учел одного нюанса под названием «отечественная косметика». Это теперь повсюду современные салоны красоты, качественные красящие средства, щадящие шампуни. А тогда приличных красок не было, и мои волосы неожиданно вместо благородноседых стали ярко-синими. Как у Мальвины. Пришлось перекрашиваться. А параллельно я снимался еще в фильме «Малиновое вино» на Рижской киностудии, где герой щеголял с черными волосами, и когда прилетел в Ригу, то меня пришлось в экстренном порядке смывать и красить заново... Короче, я узнал, что такое перекись, понял страдания женщин, перекрашивающихся из брюнеток в блондинок, и не позавидовал их доле.

Вторую неожиданную роль — не красавца и не соблазнителя — я снова сыграл у Нахапетова в картине «Не стреляйте в белых лебедей». Родион увидел меня в образе лесничего и пригласил на съемки. «Ну ты и выбрал артиста-красавчика! Какой же из него лесничий?» — подтрунивали над Нахапетовым коллеги. «А кто вам сказал, что лесничий обязательно должен быть курносым?!» — парировал Родион.

Огромной удачей для меня было сыграть в фильме «Маленькие трагедии» Михаила Швейцера, признанного мастера экранизации русской классики — «Воскресения» и «Крейцеровой сонаты», «Золотого теленка» и «Мертвых душ». Актеров собралось целое созвездие: Георгий Тараторкин, Сергей Юрский, Валерий Золотухин, Иннокентий

Смоктуновский, Наталья Белохвостикова, Леонид Куравлев, Николай Бурляев, Лидия Федосеева-Шукшина и др...

На этой картине я встретился с Высоцким — всего лишь за год до его смерти. Увы, Владимир Семенович уже был болен... Кстати, именно Высоцкий должен был играть сцену в прологе «Маленьких трагедий». Помните начало фильма: «Мне скучно, бес...»? Это он, Высоцкий, должен был идти со мной по берегу Каспийского моря... Но вместо него сыграл актер Николай Кочегаров.

С Высоцким, к сожалению, мне удалось пообщаться только на съемках — несколько дней в Баку, где снимались эпизоды пролога картины. И еще в Москве, где я играл Дона Карлоса, а Высоцкий — Дона Гуана. Вне съемочной площадки поговорить по душам не получилось. Высоцкий был очень занят, да и я тоже, поскольку параллельно снимался в других картинах. Но мы, как мне кажется, друг другу понравились.

Думаю, что Владимир Семенович так и не увидел этой последней работы. «Маленькие трагедии» вышли на экран уже после его смерти....

ГЛАВА 4

РОМАН С НОННОЙ МОРДЮКОВОЙ

Кинематографу я обязан не только ролями. Но и дружбой, встречами, которые не забываются. Именно кинематограф подарил мне страны и города, среди которых у меня три самых любимых: Москва, Питер и Рига.

В антрепризном спектакле «Сказки Старого Арбата» я много лет играю кукольных дел мастера Балясникова. И думаю, что имею на это право. В 80-х у меня были замечательные встречи на Арбате: я был знаком со многими модными тогда художниками, и мне безумно нравилась атмосфера, царившая в богемных кругах того времени: влюбленности, хулиганство, песни под гитару, разговоры на кухне до утра... Можно было запросто зайти в любой дом. С друзьями или друзьями друзей. И тебе повсюду будут рады.

Вот типичная арбатская ситуация того времени: дверь открыта, хозяин-художник спит. На столе наполовину выпитая бутылка. «Не будем его будить. Давай просто посидим, кофе попьем», — говорит мне сопровождающий, который привел меня в мастерскую друга. Наливаем по чашке, вдруг — стук в дверь, а ведь не заперто! — и на пороге еще несколько наших знакомых по кино или выставкам. «Здрасьте-здрасьте... Вы пришли? А мы уже уходим». — «Ну ладно, тогда пока. Увидимся!» Всё просто: ни ключей, ни задвижек, ни запоров — полная свобода и высочайший градус доверия.

Я и сам мог дать ключ от своей квартиры полузнакомым людям со словами: «Через пару дней вернете, только, уходя, приведите, пожалуйста, всё в порядок». Так было в 80-е годы и в Москве, и в Риге... Только в Москве, пожалуй, всё это происходило как-то шире, масштабнее. Тут дело в особой ментальности. Не могу сказать, что я полностью постиг загадку русской души, но мне кажется, что русский человек всегда... свободен! Власти возят его мордой об асфальт, а с ним ничего не происходит: он верен себе, его душа поет, и песня никогда не кончается...

Теперь всё изменилось: в гости — по приглашению, на службу — по рекомендациям, знакомство — по визитным карточкам. Да, я согласен, это очень цивилизованно и по-европейски, но что-то необратимо исчезло... Дух бескорыстности и бесшабашности, что ли?

АЛЕКСАНДР ЛЕНЬКОВ:

«Эффект присутствия Ивара на съемках
«Зимней вишни» диктовал атмосферу картины.
На него так смотрели актрисы! Не передать
словами... И это было абсолютно естественным!
Ну на кого же смотреть, как не на красавца
Калныньша? Не на меня же..
Амплуа актеров живучи, бывает, кто-то сыграет
бандита или мента — и на всю жизнь застывает
в этих образах. Ивар — герой-любовник. Не такое
уж плохое амплуа! По-моему, у него еще все впереди.
Лет через тридцать, возможно, он будет играть
дедушек , правда, с большой натяжкой, с подкладкой
«толщинок», а пока ...пусть кайфует!»

**Люблю петь для друзей и зрителей —
продлевать жизнь хорошим песням**

Восточные мотивы. Абакан

Не скрою, я иногда грущу по временам, когда двери и души были нараспашку. По приятелям моей молодости, из которых уже кто-то умер, а кто-то не может больше пить. По неожиданным встречам, откровенным разговорам, по роскоши общения и легкости на подъем...

Рига, конечно, для меня самый родной город на земле. Мне здесь уютно и комфортно. Меня притягивает европейский порядок, в котором есть своя красота и прелесть. Но и Москву я очень люблю — с ее пробками, сумасшедшим ритмом, коренными москвичами и теми, которые «понаехали тут»... Есть в этом городе какой-то особый шарм!

Даже в 90-е годы, в разгар антисоветских настроений я, несмотря ни на что, продолжал работать в России, занимался своей профессией. И сейчас одинаково комфортно чувствую себя и в Москве, и в Риге. По-моему, у актеров нет национальности, они интернационалисты априори.

* * *

Надо сказать, что советские кинозвезды тогда не задирали нос, по крайней мере, те, которые были настоящими звездами. Из Питера в Москву я как-то ехал в одном вагоне с Михаилом Боярским. У него была невероятная популярность! Мы вместе работали с ним на картине «Душа», и я был свидетелем того, что выйти из гостиницы Боярский мог только ночью. Купаться ему приходилось под луной и в сопровождении милиционеров. Но это не делало Боярского заносчивым и высокомерным, для коллег он по-прежнему оставался своим парнем.

К слову, я очень благодарен Михаилу Боярскому за то, что на мое 50-летие он приехал ко мне в Ригу и спел для меня и зрителей, чем привел зал театра «Дайлес», в котором проходил мой юбилей, в полный восторг. С приходом Боярского концерт сразу поднялся на какую-то другую высоту. Так умеет только Миша...

Хорошие приятельские отношения сложились у меня с Виталием Соломиным. Конечно, я не могу сказать, что мы были закадычными друзьями. Но когда Виталий задумал делать антрепризный спектакль по Максу Фришу «Биография-игра», то вспомнил обо мне и пригласил на роль. К сожалению, Виталия уже давно нет с нами, но я всегда вспоминаю о нем с теплотой и уважением: он был прекрасным человеком и профессионалом высочайшей пробы.

Судьба подарила мне удивительную встречу с великим Павлом Кадочниковым. Мы ехали в одном купе из Петербурга в Москву и не спали всю ночь:

говорили, говорили, говорили... Сейчас не вспомню точно о чем, но о чем-то очень важном. Для меня, мальчишки, это было тогда большим удивлением: со мной всю ночь проговорил великий мэтр. Ведь я так приглядывался к нему на съемках «Сильвы»: учился у него манерам, умению держать осанку, подавать реплики... Такой мастер-класс дорогого стоит!

Мне посчастливилось сниматься в фильме «Двое под одним зонтом» с Иннокентием Смоктуновским. Помню, режиссер Юнгвальд-Хилькевич устроил тогда премьеру в ТАСС, в Москве. Смоктуновский жил от ТАССа буквально в двух шагах — через улицу по диагонали. Однако все в сборе, а Смоктуновского нет! Все ждут, нервничают, звонят... А он: «Машину не подали». Все засуетились: «Машину! Мэтру! Срочно!» Вызвали такси. Пока по пробкам добрались, прошло еще полчаса. Наконец Смоктуновский вошел в зал. Хмурый, суровый. Все кинулись к нему с распростертыми объятиями , да так и застыли. Он прошел через нас как сквозь стену, даже ни на кого не взглянул, а потом по-детски обиженно произнес: «Никто мне руки не подает!» Да еще обругал организаторов мероприятия за то, что зал был заполнен на 90 процентов, а не на все 100: «В моем доме есть спецмагазинчик, так там в очередях за продуктами больше народу». Ну чисто как ребенок!

Правда, потом отошел, стал милым, благожелательным, даже шутить начал. Иннокентий Смоктуновский — величайший артист! И за это ему можно простить любой каприз.

* * *

А еще у меня была потрясающая встреча с Нонной Викторовной Мордюковой. Мы выступали на одном гала-концерте в Твери. И после выступления оказались за одним столиком в ресторане гостиницы на первом этаже. Я спустился туда по-простому: как был — в джинсовой курточке, майке, джинсах... Настроился на неформальное общение и пение под гитару. И тут... Со мной за столом — сама Нонна Мордюкова! Почти что Господь Бог. Когда режиссеры втолковывали артисту, что нужно выложиться на разрыв показать все, на что способен, они говорили: «Играй как Мордюкова!» Это означало высочайшую степень профессионализма — лучше некуда, выше только звезды...

Эта актриса обладала такой невероятной энергетикой, что рядом с ней легко было потеряться. Не терялся, пожалуй, только Вячеслав Тихонов. Удивительный актер: тихий, интеллигентный, очень скромный, но обладающий такой харизмой, что его нельзя было не заметить. Даже если с ним рядом сама Мордюкова. С Тихоновым я тоже имел

В подсолнухах

Вписался в ландшафт

счастье сидеть за одним столом: Ярмольник рассказывал ему анекдоты о Штирлице, а Тихонов записывал их в тетрадочку и улыбался...

Но вернемся все-таки к тому памятному застолью с Нонной Викторовной. Не знаю, почему, но когда я увидел ее за столом, мне стало сразу как-то неуютно в моей джинсовой курточке, которая никак не соответствовала торжественному моменту. А потому через несколько минут я поднялся из-за стола, пошел в свой номер и переоделся в приличный костюм.

Вечер прошел замечательно. Нонна Викторовна много смеялась, шутила, рассказывала актерские байки.. А в конце вечеринки подарила мне матрешку со словами: «Это вам, Ивар. За наш прекрасный роман». Она заметила, что я переоделся и поняла: почему и ради кого я это сделал. Вот какая удивительная женщина Нонна Викторовна!

* * *

Меня часто спрашивают: были ли в вашей жизни неудачные фильмы, в которых вы снялись и теперь жалеете об этом. Честно скажу — были. Ведь я снялся более чем в ста картинах. Ну не может быть в кинематографе столько удач! У каждого ак-

СЕРГЕЙ ШАКУРОВ:

*«Ивар всегда был достаточно загадочным мужиком,
что привлекало слабый пол. Загадочность,
сдержанность, тайна, которые есть и сохранились
в нем, безумно привлекательны!
А еще мне нравится, что Ивар любит себя.
В его возрасте можно превратиться
в дряхлого старика. А разве ему дашь его возраст!?
С Ивара можно только брать пример!»*

тера есть картины или спектакли, в которых можно было бы не играть. Но если сидеть и ждать, когда тебя сам Спилберг позовет играть Гамлета, то можно и до пенсии просидеть. Я предпочитаю не ждать, а работать.

Что же касается неудачных фильмов, то, поверьте, никто приступая к съемке фильма, не мечтает: а давайте-ка снимем отвратительную картину! Все хотят успеха, просто что-то не складывается. А бывает — наоборот, удача обрушивается там, где ее не ждали. Так, к примеру, было с фильмом «Зимняя вишня», популярность которого стала неожиданностью даже для режиссера картины — Игоря Масленникова.

Казалось бы, в основе — самая банальная и даже наивная история под названием: «А я люблю женатого». Но в стране, где по статистике почти 50 процентов женщин было разведено, эта тема задела за живое, попала в самое яблочко. Или, как сказали бы сейчас, — в целевую аудиторию. Мелодия «Держи меня, соломинка, держи...», под которую каждое утро вставала главная героиня фильма Елены Сафоновой — Ольга, была близка тысячам мамам-одиночкам. А уж под монологом героини Нины Руслановой о том, что каждая женщина — это зимняя вишня, которую необходимо отогреть, и она оттает, готова была подписаться каждая женщина СССР.

И вдруг появляется мой герой Герберт — принц на белом «Мерседесе» Надежный, шикарный, окруженный недосягаемыми для советского человека антуражем, включая иномарку... Машину для съемок, помню, искали по всему Питеру, сбились с ног и еле-еле уговорили одного художника, который отдал нам ее не без сожаления и со словами: «Только умоляю: не поцарапайте!». И вот этот принц с «Мерседесом» зовёт нашу Золушку в сказку под названием «заграница». Но героиня дает ему отставку и выбирает все-таки любовь — того самого женатого в замечательном исполнении Виталия Соломина (кстати, на эту роль пробовался также Сергей Шакуров). Вот что значит любить по-русски.

После фильма на создателей фильма обрушились тысячи писем от женщин со всех уголков страны! Не электронных — тогда и интернета-то не было! — а от руки: эмоциональных, злобных, восторженных, откровенных... С самыми полярными точками зрения от пропагандистко-выдержанных: «Молодчина, за любовь нужно бороться!» до возмущенно-циничных: «Ну и дура!»

Сегодня, когда практически каждая вторая женщина мечтает об иностранце, когда открыты все границы и когда можно запросто уехать за рубеж, «Зимняя вишня» звучит уже совсем иначе. Время все расставило по местам, разложило по полочкам,

Мы с Лаурой с супругами Гречко в клубе Виторганов

С Татьяной Абрамовой и Юрием Беляевым

С Ириной и Эммануилом Виторганами

С актером Львом Прыгуновым и его супругой

и выяснилось, что героиня-то была вовсе не дура. Посмотрите сколько душещипательных историй появляется в прессе о дамах, которые в свое время вышли замуж за заграничные супермаркеты. Теперь, когда эти супермаркеты пришли к нам, они поняли, что совершили ошибку. Так может быть, все же надо было, выбирать своего, любимого, в стареньких «Жигулях»?

* * *

Критика отнеслась к фильму не слишком благосклонно. Вот одна из рецензий на фильм, опубликованная в 1985 году:

«Картина поставлена в традициях так называемого «среднеевропейского» кинематографа. Красивые женщины и пейзажи. Обаятельные мужчины и дети. Подробности быта (ужин на двоих, загадочный взгляд героини, прихорашивающейся перед зеркалом) под модную музыку. Быт резко контрастный. То неустроенный и сумбурный, то сверкающий дизайном швейцарской перспективы. Музыка тоже. То наполнена удалыми пассажами, то грустными мотивами в духе Френсиса Лея... Разговоры только о замужестве (неудавшемся или будущем) и о любви (взаимной и безответной).

Для успеха этого уже достаточно. Однако Игорь Маслеников вводит в игру дополнительные козыри — имена популярных актеров. Здесь и Виталий Соломин, который не так давно снимался у того же режиссера в роли друга Шерлока Холмса доктора Ватсона. И поразительно часто появляющаяся в последнее время на экране Лариса Удовиченко. И сдержанный в своей неотразимости *эстонец* Ивар Калныньш (актеров-прибалтов в СССР часто путали. А потому я не был удивлен, что автор вдруг «причислил» меня к эстонцам — прим. автора.) И, наконец, недавняя партнерша этого артиста по фильму Г. Юнгвадьд–Хилькевича «Двое под одним зонтом» Елена Сафонова.

Каждый из актеров играет в духе знакомого зрителям амплуа собственных последних работ. Беспечный прохиндей, который еще минуту назад был «искренне ваш», а сейчас с любезной улыбкой готов забрать слова обратно. Взбалмошная и суетливая молодая женщина, которая из-за непоследовательности поступков постоянно попадает в непредсказуемые «опасные для жизни» ситуации. Благородный рыцарь, готовый бескорыстно бросить к ногам избранницы ковер фешенебельного офиса в Женеве, «идущий следом», вернее, едущий на новеньком «Мерседесе». Обладательница искрящегося иронией взгляда и обворожительной улыбки с милой непринужденностью сменяющая экстрамодные наряды...

Вы спросите, а как же глубина идеи, характеров? Вопрос резонный. Мысль в «Зимней вишне» есть. Характеры тоже. Правда, зачем стремиться к этой самой глубине, если статистика, как уже отмечалось, вещь упрямая: процент одиноких женщин в стране, к сожалению, велик. Каждая из них сможет без труда дополнить недостающие в фильме звенья, мотивировки. А характеры героев давно знакомы нам по предыдущим работам вышеназванных актеров. Что ж, ясно — займем из собственной биографии. Вот почему авторам вполне хватает просто сказать — у человека должна быть семья, а брак должен быть по любви. Банальность?

Возможно. Но если эти простые истины доверить в руки любимых артистов и оформить в духе памятных «Мужчины и женщины»... Получится именно тот результат, к которому стремятся многие, а получается только у каждого десятого.

Тонка и непрочна соломинка успеха. Бесспорно, можно обойтись и без нее — пытаясь создать оригинальное, отмеченное «лица необщим выраженьем», произведение. Но ухватиться за эту соломинку так соблазнительно. Пусть она тянет за собой шлейф вторичности и штампа. Пусть играет на так называемых «запрещенных приемах», безотказно затрагивающих эмоциональ-

На юбилейном вечере

ные струны людей (маленькие дети без отцов, красивые и умные женщины без мужей и прочее). Главное — успех. А победителей, как известно, не судят». (Александр Федоров)

Победителей действительно не судят — за год проката картину посмотрели более 70 миллионов зрителей. Невероятная цифра! Кроме того, «Зимняя вишня» получила признание на многих Международных кинофестивалях.

После выхода фильма в прокат, мы поехали в Анапу на фестиваль «Киношок». Один из вечеров коротали в столовке вместе с писателем Виктором Ерофеевым, драматургом Виктором Мережко и обсуждали что-то высокое. «А вот скажи, Ивар, ты бы мог уехать в Америку?» — спросили меня. Я покачал головой. Какая Америка? Мне всегда хотелось создать Америку здесь, у себя дома, чтобы не мы туда ездили, разинув рот, а к нам приезжали оттуда и удивлялись.

...В 1994 году я впервые побывал в США, где увидел трехэтажный магазин, в котором продавались гитары. Всевозможных видов, расцветок, звучаний, от самых различных мировых производителей. Фирменная гитара была моей многолетней мечтой и я, как мальчишка, замер перед витриной в полной растерянности, не зная, с какого конца подступиться к этому сказочному изобилию....

Не буду лукавить: как каждому советскому человеку, мне хотелось тогда зарабатывать больше денег, не жить в мире дефицита, не чувствовать себя униженным где-то за границей, не экономить суточные, выкраивая из них крохи родным на сувениры. Но уезжать только ради этого — для меня всегда означало не уважать себя.

Жизнь показала, что я был прав: времена изменились. Сегодня любой турист, приехавший с постсоветского пространства, может купить за границей не только чашечку кофе, в каждом городе построены моллы, не уступающие американским, в нашей хоккейной команде играют — о чудо! — канадцы. А в Большой театр в Москве уже работают американские артисты. Я рад тому, что дожил до этих дней.....

ГЛАВА 5

МОЙ ТЕАТР

90-е годы стали испытанием в судьбе большинства артистов. Я никогда не мог представить, что после 91-го великое советское кино рухнет как карточный домик, не представлял, что такая гигантская машина может остановиться. Наступил коллапс, кризис, который, заметьте, длился не день, не два дня, а много лет.... И в какой-то мере продолжается сегодня.

Мы все попали под один молоток. Изменилась не только жизнь и право на собственность — изменилось наше мышление. Исчезло Госкино, которое субсидировалось государством. Золото партии распалось на молекулы и осело в иностранных банках. Закона и порядка не стало нигде: ни на съемках, ни в прокате. В искусство пришли дилетанты. Та великая, советская, культура, которую называли достоянием страны, вдруг в одночасье стала абсолютно никому не нужна. Новому времени потребовались новые герои, новые мысли, новые лица, новая правда. Оборвалась ниточка, связывающая республики СССР в единое государство, и Латвия, считавшаяся во времена единого Союза «советской заграницей», вдруг стала заграницей реальной — с визами, таможней, собственным гражданством и прочими атрибутами независимого государства.

Многие актеры остались не у дел. Мне повезло — я оказался востребованным. У меня оставался театр «Дайлес», меня часто приглашали открывать фестивали, звали в различные объединения. Я был на открытии гильдии актеров, на фествале «Созвездие» в Твери, являлся почетным президентом фестиваля «Балтийская жемчужина», позже мы организовали кинофестиваль в Благовещенске под названием «Амурская осень»...

Но главное — меня по-прежнему приглашали сниматься в России, на Украине и в других бывших союзных республиках.

Да, скажу честно: это нравилось не всем. Были и завистники, и косые взгляды, но я понимал, что актер должен быть вне политики, он обязан работать по профессии. Это, вероятно, меня и спасло. Чтобы не повторять все, что я отвечал в то время людям, упрекавшим меня в излишней лояльности, приведу небольшой фрагмент из интервью газете «Суббота» в те годы:

«Кино — мое государство»

«Гастрольный график актера Ивара Калныньша расписан на год вперед: спектакли, антрепризы, киносъемки, фестивали... И все в основном за пределами родной Латвии.

С одной стороны за державу обидно: замечательный артист (кстати, прекрасно поющий), красавец (скоро 50, а кто даст?), общепризнанный секс-символ (этот титул Ивар терпеть не может!) — и так мало востребован в Латвии.

С другой стороны, а что делать актеру на родине, где не снимается кино? Зарывать талант в землю? Раздавать злые интервью? Страдать комплексами от невостребованности?

Все это не в характере Калныньша. После развала Союза Ивар ушёл не в бизнес, не в ностальгию по советской кинославе, а в свою любимую профессию. И стал актёром-брендом Латвии на всём постсоветском пространстве.

— *Ивар, вас часто обвиняют в космополитизме и чрезмерной лояльности к России?*
— *Я актёр, а у людей искусства как бы нет национальности. Театр и кино — вот это моё государство. В России у меня друзья, работа, с этой страной связана масса дорогих мне вос-*

В проекте Екатерины Рождественской

**В Москве мы с женой Лаурой часто видимся
с земляком — актером Андрисом Лиелайсом
и его женой Ириной**

С дочками

поминаний. А значит, неважно, какие гимны поём, — цвет клавиш на пианино от этого не меняется.

— **Подождите, а как же национальное само-сознание, самоопределение?**

— *Национальное самосознание — это хорошо. И в самоопределении много плюсов. Но когда между культурами происходит диффузия, то она даёт подпитку каждой из них. Замыкаясь в закрытом пространстве и варясь в собственном соку, любая культура обречена на умирание.*

— **Сказали бы вы об этом нашим политикам!**

— *Зачем? Я человек творческий. Кино — вот моё государство!»*

(Газета «Суббота», 1997 год)

* * *

В 90-е рухнуло решительно все — в том числе и театр. Народ просто перестал туда ходить, значит, нужно было что-то радикально менять. Все развернулось на 180 градусов, перестроиться было трудно, потребовалось длительное время, чтобы вернуть людей в зрительные залы. Говорю об этом не без боли. Потому что это часть моей жизни. Я пришел в театр «Дайлес» на втором курсе, стал работать внештатным актером, а только потом меня зачислили в штат.

Я проработал на этой сцене 25 лет, а потому до сих пор мысленно называю театр «Дайлес» — «мой театр».

Если вы когда-нибудь бывали в Риге, не могли не запомнить это здание на улице Бривибас (бывшей улице Ленина) — авангардистский куб из стекла и бетона. Туристы мечтали хотя бы сфотографироваться рядом с этим диковинным сооружением, не говоря уже о том, чтоб попасть вовнутрь, на спектакль. Сесть в бархатное кресло, надеть наушники с переводом, (спектакли игрались на латышском языке) и посмотреть на «живую» Вию Артмане.

И никто из зрителей не знал, что вся эта роскошь по-советски была ужасно неудобной для тех людей, которые там работали. Здание строилось десять лет. До этого проект долго согласовывался, в результате чего устарел уже к моменту строительства. Затем обнаружилась масса каких-то недоделок, которые начали активно устранять. Но даже после долгожданной сдачи театра в эксплуатацию, в нем мало что функционировало нормально. Гримерки неудобные, а с вентиляцией была вообще беда: в оркестровой яме остро чувствовался запах кофе из кафе.

На отдыхе

Кальян для антуража

* * *

Первый спектакль мы сыграли весной прямо перед строителями театра. Это была «Премия» по пьесе Александра Гельмана. Я играл бригадира-правдолюбца, того самого, роль которого в московской постановке с блеском исполнял Евгений Леонов. Этот спектакль был поставлен еще в старом театре, шел в фойе, и получалось, что публика присутствовала на собрании трудового коллектива.

В октябре 1977 года, после гастролей в Москве, мы наконец переехали в только что построенное и еще пахнущее свежей краской здание. Так начался расцвет Художественного академического театра имени Райниса — «Дайлес», точнее, его триумфальное шествие.

В то время театром руководил замечательный латышский режиссер Арнольд Лининьш, который ставил действительно уникальные спектакли: по Шекспиру, Ибсену, Олби, Чехову, Брукнеру, Радзинскому, Блауманису, Райнису... И каждый из этих нашумевших спектаклей был обыкновенным чудом. Например, чеховская «Чайка», показанная в Москве в 1977 году, имела огромный успех и получила высочайшую оценку и признание как у зрителей, так и у критиков.

«В пьесе Антона Чехова «Чайка» Ивар Калныньш сыграл «русского Гамлета» — Треплева. Ансамбль актеров подобрался поистине великолепный: Аркадина — Вия Артмане, Сорин — Валентин Скулме, Дорн — Юрис Стренга, Полина Андреевна — Дина Купле.

Актеры вспоминают, что Треплев давался Ивару трудно. Это неудивительно, поскольку рефлексирующий чеховский герой был не близок жизненной активности и конкретности Калныньша. К тому же это была не традиционная постановка Чехова, а новаторское прочтение классика. Режиссер-постановщик Арнольд Лининьш и режиссер Карлис Аушкап попробовали увидеть другого Чехова, перенесенного в современный мир, с его нервозными ритмами, усиливающими одиночество и эгоизм, боль и нереализованные надежды. В этой «Чайке» нет ни традиционного озера, ни утонченности, ни поэтических звучаний. Режиссер и сценограф Илмар Блумберг предложил актерам и зрителям мрачную, замкнутую среду — оголенную сцену с продолговатым пьедесталом в центре, похожим на катафалк, который хоронит мечты героев.

Герой Ивара Калныньша Треплев с болью рассказывал о том, что чувствует человек, который, проснувшись однажды утром, видит, что озеро высохло. Эта фраза была как эмоциональный ключ: все внутренние озера героя тоже иссякли, остались

только воспоминания о былой их красоте. Треплев Калныньша жил на оголенных нервах, и каждое прикосновение к ним вызывало острейшую боль. Он жаждал любви и ощущал ее горечь» (Из книги Гуны Зелтини. «Ивар Калныньш. Мужчина, которого ждут». Перевод с латышского).

* * *

Простите, если собьюсь на пафос, но ничто мире не может сравниться с эфемерностью театрального спектакля. Разве что рисунок на воде. Спектакль сыгран — и его больше нет. Два часа и – смерть.... Завтра родится следующий спектакль, но он будет совсем другим... И нельзя ничего повторить, нельзя сыграть под копирку, чтобы было точь-в точь как вчера...

Телевидение в ту бытность записывало почти все спектакли. Запись шла при публике. Без искусственного смеха за кадром. Он был и не нужен: если в «Дайлес» играли комедию, то смех всегда был настоящим, да такой, что от него сотрясались стены. А серьезные спектакли — драмы, снимали обычно по утрам, во время репетиций. Телевидение оплачивало театру аншлаги.

Открою вам маленькую тайну: в советское время в театрах существовал план по... зрителям. Для

Настоящий художник должен быть голодным... и босым!

нашего театра «Дайлес», например, планом считалось заполнение зала на 99,9 процента, в Оперном театре план был ниже — достаточно было 60 процентов зрителей. Работали без выходных, как на заводе. Сейчас это звучит дико, но что поделать, если такие нормативы существовали? Из песни слова не выкинешь...

Сегодня никаких планов по зрителю в рижских театрах, разумеется, нет, зато появилась другая проблема — проблема выживаемости. Театры давно не финансируются государством. В стране нет на культуру денег, хронически нет! Театры обязаны сами себя содержать и обеспечивать.

С одной стороны это вроде логично: капитализм есть капитализм. А с другой... Я был в Японии в музыкально-театральном комплексе города Ниагата. В нем три зала: один на 1000 мест, другой — на 900, третий — театр «Кабуки» — на 300 мест. Сбоку стеклянная стена, вдоль которой растет настоящий бамбук. На крыше — зеленая лужайка, по которой прыгают кузнечики. И целая армия билетерш перед залом: человек 20, если не 30. «Зачем столько?» — поразился я. Оказалось, что всех билетерш, режиссеров, актеров, декорации и костюмы полностью оплачивает город, который и содержит театр. И никаких налогов! Все деньги за проданные билеты идут тем, кто участвует в спектакле или представлении.

ИРИНА АЛФЕРОВА:
*«Бывают в жизни такие удивительные актеры!
Они занимают свое место в жизни. Выходит Ивар,
и на него приятно смотреть... Вообще артисты
— мужчины своеобразные. Но Ивар — исключение
из этих правил. Когда я спрашивала всю компанию,
которая задействована в нашем спектакле
«Чего хотят мужчины?» — администраторов,
гримеров, костюмеров, актеров, — они все в один голос
сказали: «Вот! Ивар — это идеальный вариант.
Интеллигентнейший человек. Он никогда ничем
не возмущается, просто тихо существует,
не тянет одеяла на себя, не привлекает к себе
лишнего внимания».*

Когда видишь такие разумные примеры меценатства и заинтересованности со стороны властей, хочется, чтобы и у нас было так же. Уверен, что когда-нибудь и на нашу улицу придет праздник — просто хотелось бы до него дожить.

* * *

... В театре «Дайлес» я отработал до 1999 года, отыграл там свой 50-летний юбилей и ушел.

К счастью, с уходом из театра театр не ушел из моей жизни, и я благодарен за это судьбе. Меня позвали сразу в несколько московских театральных проектов: «Мастер и Маргарита» по Булгакову, «Сказки Старого Арбата» по Арбузову, «Не будите спящую собаку» по Пристли, «Биография-игра» по Фришу, «Дракула» по Стоккеру, «Любовь длиною в ночь» по Мережко ...

С этими антрепризными спектаклями я объездил полмира. Каждый из этих спектаклей для меня любим и дорог. Очень люблю «Сказки старого Арбата» Алексея Арбузова — я помню этот спектакль еще в постановке Анатолия Эфроса. Тогда, будучи студентом, я даже представить себе не мог, что придет время, и я буду играть Балясникова. Однажды дети Арбузова купили билет на один из наших спектаклей — пришли по-

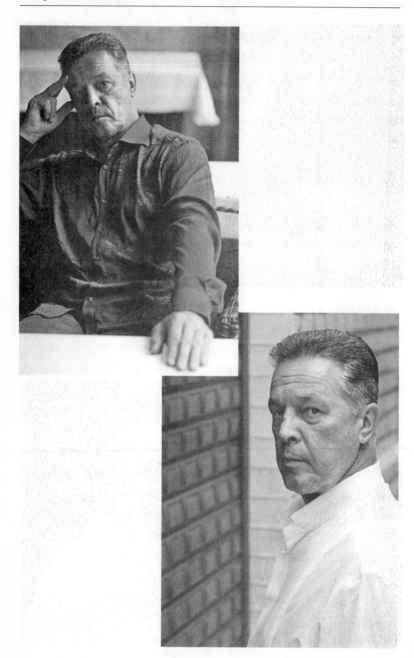

99

смотреть его инкогнито — и им понравилось. Для меня это очень высокая оценка.

«Биография-игра», поставленная в свое время Виталием Соломиным, — замечательна тем, что дает зрителю возможность задуматься о том как он живет и что-то изменить в своей жизни. Макс Фриш неслучайно выбрал эпиграфом к пьесе слова Вершинина из чеховских «Трех сестер»: «Что если бы начать жизнь снова, притом сознательно? Если бы одна жизнь, которая уже прожита, была, как говорится, начерно, другая — начисто! Тогда каждый из нас, я думаю, постарался бы, прежде всего, не повторять самого себя...» Герой пьесы — Регистратор, которого я играл, считал, что те вещи, которых не позволяет действительность, позволяет театр. На сцене можно проживать чужие жизни, переживать чужие чувства... И я с ним полностью согласен!

Нет, не подумайте, я никогда не путаю виртуальный мир и реальный. Я абсолютно уверен в том, что лицедействовать надо только в театре и кино, а жить обыкновенной человеческой жизнью — здесь и сейчас. И все-таки актеры — очень счастливые люди, и я благодарен судьбе за то, что она позволила мне стать одним из этих счастливцев.

* * *

«Мастер и Маргарита» в постановке Валерия Беляковича — один из самых любимых мною спектакль. Я в нем играю разные роли: иногда Коровьева, иногда — Понтия Пилата. Главы про Пилата в книге, по-моему, самые трагичные, самые болезненные, самые сильные... На самом деле Мессию убили свои, это они кричали: «распни его, распни!» А Понтий просто присутствовал на процессе как представитель власти. Не вмешивался — вот в чем его грех. У каждого наверное, в жизни, бывают ситуации, когда можно пройти мимо, а можно помочь, можно открыть дверь, а можно ее захлопнуть... Вся наша жизнь состоит из таких испытаний, и каждый выбирает то, что ему по силам. Или то, что по совести.

Многие считают «Мастера и Маргариту» мистическим произведением, приносящим несчастья. Ушел из жизни Авилов, игравший Воланда, нет с нами больше Анечки Самохиной... Но, я думаю, Булгаков здесь ни при чем: так сложились обстоятельства. Грустно, что в последние годы стали уходить из жизни артисты, с которыми я много встречался и работал: Саша Абдулов, Олег Янковский. Актеры быстро сгорают: они люди тонкие, незащищенные, без кожи...

С потрясающей парижанкой Катрин Денев

С друзьями

* * *

Недавно зрители увидели новый спектакль Альберта Герни «Чего хотят мужчины», в котором мы с очаровательной Ириной Алферовой играем супружескую пару... Мы знакомы с Ирой много лет, еще со времен ее брака с Александром Абдуловым, однако до прошлого года нам ни разу не выпадало играть вместе. Впрочем, и другие партнеры по сцене у меня замечательные: Таня Абрамова, Илья Соколовский.

В этой пьесе много живых, интересных актёрских диалогов, есть место для актёрской импровизации. Небанальна и фабула — история о немолодой супружеской паре, жизнь которой погрязла в рутине и обыденности. Мой герой Грэг, уставший от тридцатилетнего брака человек, заводит себе собаку по имени Сильвия, которая и становится для него мерилом отношений между людьми. Эта пьеса шла на подмостках Бродвея в Нью-Йорке и имела ошеломительный успех. Успешна она и у российского зрителя.

А в Риге идет прекрасный спектакль «Секс, брак и развод по-американски» по пьесе Вуди Аллена. Когда-то я уже играл в латышской версии этой пьесы. А теперь исполняю ту же роль — адвоката Сэма Риггса — только на русском языке и очень ее люблю.

Действие происходит в высшем свете Нью-Йорка, где как в доме Облонских смешалось все: измены, любовь, интриги... Проблемы в спектакле вовсе не американские, а очень даже наши. Люди недовольны собой, стараются кому-то подражать, теряют себя... Материал благодарный и совсем не такой простой, как кажется на первый взгляд. Так ведь и Вуди Аллен не прост!

Когда-то Питер Брук сравнил театр с рестораном. Если продолжать эту аналогию, то я считаю главным блюдом в спектакле «Секс, брак и развод по-американски» — юмор Вуди Аллена. Интеллектуальный, эротический, немного циничный.... Мне он очень близок! В одном из интервью Аллен, ёрничая, называл свои самые лучшие качества, а в конце добавил: «А ещё по версии какого-то журнала, я на 89-месте как секс-символ».

Латвийский зритель принимает этот спектакль великолепно уже не первый год. И мне кажется, что эту постановку ждет долгая и счастливая судьба.

ГЛАВА 6

«СМОТРИТЕ, ДРОНГО ПОШЕЛ!»

«Смотри, папа, Дронго пошел!» — крикнул мне в след на улице какой-то бакинский мальчишка. «Что-то он не очень на азербайджанца похож», — отозвался взрослый голос. Я улыбнулся. Знали бы эти зрители, что создатель образа Дронго, писатель Чингиз Абдуллаев, на вопрос, кого бы он хотел видеть в роли секретного агента, отвечал: «Жана-Поля Бельмондо!»

Автор знаменитых детективов никогда не утверждал, что Дронго — азербайджанец. Он родом из Баку, а Баку, как мы помним, был самым интернациональным городом в Союзе. Если уж на то пошло, то этот уникальный персонаж с незаурядными сыскными способностями, вполне мог быть и латышом. По сценарию Дронго наполовину русский, наполовину азербайджанец. Но фильм-то не о национальности. В мире нет плохих народов, есть плохие и хорошие люди. В сериале занято около четырехсот актеров четырнадцати национальностей из восьми стран бывшего СССР. Состав просто потрясающий: Кахи Кавсадзе, Отари Кабериадзе, Лев Прыгунов, Алексей Жарков, Вячеслав Невинный, Зураб Кипшидзе, Андрей Ростоцкий (к сожалению, это была его последняя роль)...

Мой герой Дронго не просто хороший человек, опытный сыщик или красавец-мужчина — он человек на своем месте. «Его искали как «Скорую помощь» в час скорби. Он нужен был как врач или священник, как последняя инстанция, к которой обращались с надеждой на чудо. Короче говоря, та последняя инстанция, в которую обращались в самых сложных и самых печальных обстоятельствах. Гонорары, которые он получал за предыдущие расследования, позволяли ему вести независимую жизнь, не связанную ни с государством, ни с какими-либо официальными инстанциями. Несколько раз в год он путешествовал, каждый раз выбирая новое место — не любил встреч с прошлым... Он был постоянен в своих главных привычках, прежде всего в том, что касалось еды, одежды, запахов. Запах «Фаренгейта» , французского парфюма, стал его своеобразной визитной карточкой. Итальянские костюмы от «Валентино», были ему привычны, как никакая другая одежда. Дронго часто ловил себя на мысли, что подобный консерватизм — свойство пожилых людей, которым уже поздно менять устоявшиеся привычки...» — так описывает моего героя Чингиз Абдуллаев в романе « Бремя идолов».

Я не фанат историй а-ля Джеймс Бонд, однако при прочтении сценария меня сразу подкупило то, что жанр картины определялся как аналитический детектив, в котором главный герой делает ставку на продуманные стратегические ходы, а не на меткие выстрелы.

Этот образ для Чингиза Абдуллаева очень дорог, и, возможно, частично списан с себя. До того как прийти в литературу, Абдуллаев работал за рубежом в качестве сотрудника Минобороны, был дважды ранен, имеет правительственные награды... Мы познакомились и сразу понравились друг другу. В Баку меня принимали с истинно восточным гостеприимством. Но самое большое впечатление на меня произвел, пожалуй, столичный книжный магазин, в котором продавались только книги Чингиза Абдуллаева — и никаких других. Бесконечные стеллажи, заставленные томами с лихо закрученным сюжетом и множество посетителей, почитателей писательского таланта.

* * *

Действие фильма, в котором сотруднику Интерпола Дронго приходится бороться с международной наркомафией, разворачивается в Москве, в Ба-

Игра в шпиона

ку, в Батуми, в Тбилиси, Нью-Йорке, Париже и Лондоне... А потому снимали сериал в самых разных городах. Правда, с огромными перерывами. Вероятно, это зависело от поступления финансов: есть деньги — есть новые серии, нет денег — такова жизнь.

Было время, когда я ждал вызова на съемку по 2-3 месяца. Катался на горных лыжах в Альпах и, как разведчик или агент особого назначения, держал в кармане сотовый телефон для связи: позвонить могли в любую минуту, и я был готов тут же сорваться и вылететь в Париж, Нью-Йорк или Лондон.

Благодаря такой мобильности нашей киногруппы, зритель получал возможность не только следить за всеми перепетиями расследования, но и побродить вместе с персонажами по некоторым большим городам мира. Всё в фильме было достоверным, в том числе и география. Если операция Дронго проходила, к примеру, в Париже, то мой герой стоял так, чтобы в луже непременно отражалась Эйфелева башня, и всем было понятно, что сцена снималась не где-нибудь, а во французской столице.

Правда, всё, что снималось на улицах зарубежных городов, снималось контрабандой. Получать лицензию на съемки — удовольствие дорогое, да наш человек к этому и не привык. А потому вы-

**С сыном Юла
Бриннера — Роком**

**Как молоды
мы были!**

111

кручивались как могли: кружили по Нью-Йорку на такси, затем останавливали его, я выходил из машины, в это время меня снимали. Вокруг было множество американских полицейских, они относились к нам вполне лояльно: им даже в голову не приходило, что можно снимать кино без лицензии! А потому мы не злоупотребляли их добротой и вниманием. Таким же образом снимали подъезд со стеклянными лифтами на Манхэттене. Дронго встал, пошел, задержался минутку на входе... «Стоп, Ивар! Больше стоять нельзя!» Да и не нужно: американская панорама удачно схвачена, эффект присутствия создан, а интерьеры «Мариотта» можно не спеша доснять в Москве, где тоже есть отель этой цепочки...

Нет, это не обман. Просто кино — это такое волшебство, которое позволено делать любые допущения в географии. Начиная с 70-х годов все киностудии тогдашнего Союза снимали у нас в Риге заграницу. Внимательный зритель мог полюбоваться в фильме «Щит и меч» на Старую Гертруду. Юрмальское шоссе легко превращалось в американский «хайвей», а крохотная улочка Яуниела в Старой Риге — в Блюменштрассе, именно на этой улице после проваленной явки выбросился из окна профессор Плейшнер в «Семнадцати мгновениях весны» в великолепном исполнении Евгения Евстигнеева... А другие уголки Старого города с успехом сыграли роль берлинских улиц в фильме Татьяны Лиозновой. И сегодня в Риге, по старой привычке, российские кинематографисты снимают Париж. В Риге можно снимать практически любой европейский город — здесь очень кинематографическая среда...

...Много сцен «Дронго» снималось в Баку, в частности и тбилисская история, на съемки которой к нам приезжали грузинские актеры. Надо сказать, что атмосфера в азербайджанской столице была очень теплая: весь город страстно желал помочь съемочной группе. Люди наперебой предлагали свои машины и дома. Министр внутренних дел разрешил устроить стрельбу прямо у здания МВД. Чего только в кино не бывает!

ГЛАВА 7

КАК Я НЕ СТАЛ «ПОСЛЕДНИМ ГЕРОЕМ»

Наверное, я не буду оригинальным, заявив, что с тех пор, как сняли «железный занавес», который был, пожалуй, главной стратегической ошибкой коммунистов, моим любимым времяпрепровождением стали путешествия. Конечно, я и до этого передвигался по миру довольно свободно со съемочными киногруппами. Но это было совсем не то.

Я счастлив, что теперь можно путешествовать с семьей: у меня есть возможность показать моим любимым девочкам, как живут люди в разных странах и на разных континентах. Хочу, чтобы они узнали это из первых рук, а не судили о ментальности народов земного шара по анекдотным стереотипам.

Я хочу, чтобы мои дочки знали побольше иностранных языков, чем знаю я, чтобы они могли выбирать, где жить, чтобы понимали, что культура каждого народа прекрасна, потому что она передавалась из поколения в поколение, и уже за это к ней стоит относиться с уважением. И чтобы, увидев все страны мира, мои дети любили свой дом, и всегда с радостью возвращались на родину.

Я очень люблю возвращаться в Латвию, хотя могу бесконечно долго любоваться египетскими пирамидами, часами бродить по улицам Палермо, нырять с аквалангом у берегов Австралии, кататься на горных лыжах в Альпах. Не хвалясь, скажу, что давно перестал считать количество стран, в которых побывал. Да и дело вовсе не в количестве. Каждое путешествие — это открытие мира, вояж в историю, проникновение в чужую ментальность.

Удивительно, но некоторые народы, несмотря на огромное расстояние, разделяющее нас в пространстве, кажутся очень близкими по духу. Например, мне очень импонируют латиносы, которые живут весело и беззаботно. Они открыты, улыбчивы и часто устраивают праздники. «Завтра» для них не существует. Есть только сегодня — день, который нужно прожить на полную катушку. Природа в этом подыгрывает: в латинских странах она настолько яркая, словно раскрашена фломастером. В то же время народы Латинской Америки отнюдь не легкомысленны или легковесны: они очень трепетно относятся к своей истории и свято чтят традиции предков.

ВЕРА ГЛАГОЛЕВА:
*«Ивар много работает в антрепризах. И я думаю,
это возможность найти себя, быть разным.
Он может найти себя и в комедии, и драме...
Что касается амплуа, то я считаю, что для него
всегда найдутся роли. Он такой актер, который
не зависит от возраста. Человеческие его качества
выше всяких похвал: с Иваром можно пойти
в разведку — я поняла это на шоу «Последний герой».
Там Ивар был контактным, общительным,
веселым — таким я его раньше не знала...»*

Я в этом убедился, будучи с семьей в Мексике, когда повел своих дочек на грандиозное шоу в Национальном парке, в котором отслежена вся история этой страны: от древнейших времен до наших дней. Потрясающее зрелище! Кстати, на этом шоу приключился маленький казус. Обычно я езжу по «заграницам» спокойно: узнают меня не так часто и не повсюду. А уж до Мексики-то моя популярность и вовсе не имела шансов докатиться. И вдруг... глава мексиканской семьи, которая сидела на шоу недалеко от нас, кинулся ко мне со словами: «Oh, Russian actor! «А поскольку мексиканцы ничего не умеют делать тихо, то от его радостного крика содрогнулся весь стадион. Оказалось, что недавно в их городе показывали фильм с моим участием, а зритель оказался наблюдательным и запомнил меня. Я уж не стал ему объяснять, что я не совсем Russian, а вообще-то Latvian...

* * *

Одно из моих экзотических путешествий было связано со съемками шоу «Последний герой», в которое меня забросили вместе с Верой Глаголевой в качестве «джокеров».

Поначалу меня звали на весь срок проекта, который длился в течение двух месяцев. Но этого я не мог себе позволить: спектакли, съемки и га-

«А я играю на гармошке...»

По следам Джеймса Бонда

строли не отменишь. В результате согласился на кратковременное пребывание. Провел на Гаити 10 дней. Условия нашего проживания на острове и в самом деле были экстремальными. Возможно, слово «герои» тут и не совсем уместно, если знать его исконное значение, но как говорил герой фильма «Тот самый Мюхгаузен», что-то героическое во всем этом определенно было.

Начнем с того, что для поездки на остров нам с Верой Глаголевой выдали дырявую лодку: добираться до берега пришлось вплавь, ловя в волнах уплывающие сумки. С берега оглянулись на свою лодочку — а ее уже нет...

Организаторы шоу подыскали нам для жилья крохотную бухточку в скалах, из которой никуда не убежать, не уйти и не уплыть. Мошкара летает и кусает круглосуточно. Ноги постоянно мокрые и одежда — тоже. Для того, чтобы высушить ее, приходилось гоняться за солнцем, перевешивая майки с одного места на другое. Каркас из сучков считался постелью. Из всех благ цивилизации — костер и котел. Так что слухи о том, что на самом деле мы жили в великолепных пятизвездочных отелях, а на остров выезжали только для съемок, перемазав себе лицо сажей и изодрав на груди рубашку для пущей достоверности, — это полная чушь. Все было по-настоящему! И дожди, и бытовые неудобства, и почти полное отсутствие еды.

Есть приходилось только то, что собственноручно откопаешь, сорвешь или поймаешь. Но из того, что летало и плавало вокруг, съедобного и удобоваримого было крайне мало. А потому из всех этих «гастрономических изысков» я старался на всякий случай ничего не есть. Лишь однажды попробовал морскую звезду, которую отважно добыл из глубин моря Володя Пресняков, и то, исключительно из уважения к личности добытчика. Ну что вам сказать? Гадость жуткая: на вид как птичья какашка, да и по вкусу не лучше. Во второй раз от дегустации морской живности я отказался наотрез, хотя есть хотелось зверски: на всю команду «героев» ежедневно выдавалось всего два килограмма риса.

* * *

Большинство конкурсов шоу «Последний герой» напоминали мне сельский клуб с его традиционным развлечением — бегом в мешках. Однако средств на проект не жалели. Нам, всем участникам шоу, заплатили очень неплохие деньги. Не считая приза победителю — тому самому «последнему герою». Мы все получили дорогостоящие подарки-сюрпризы: на остров были приглашены для поднятия боевого духа наши родные и близкие. Ко мне приехал Александр Ф. Скляр, к Вере Глаголевой — дочка из Америки. Это было трога-

тельно. А съемки велись на таком уровне, какой не снился даже Феллини. Помню, занырнули мы как-то под воду в очередном испытании, чтобы выявить, кто кого пересидит, и я увидел сразу три камеры, смотрящие прямо на меня. Каждый подводный глаз снимал со своего ракурса — на глубине трех метров. Благодаря этому зритель увидел, как Володя Пресняков работает сизифом, пытаясь вытолкнуть на сушу из воды здоровенный камень. Плюс к этому съемка велась еще и с катеров, и с вертолетов. Соревнования снимали 10 камер, съемочная группа насчитывала больше 70 человек. «Господи, сколько задействовано сил, средств, народу, камер...» — думал я. Честно говоря, я был уверен, что меня выбросят из племени на первом же совете, но как-то подзадержался: нас с Верой спас «иммунитет»...

* * *

... В день моего отъезда с острова грянул тропический ливень. Небо разразилось такими потоками воды, что даже при включенных на полную мощность прожекторах не видно было соседней лодки. Кругом вода! Снизу, сверху, под ногами, над головой — настоящее светопреставление! Мы, мокрые до последней нитки, пробивались тихим ходом через бурлящий поток, а в голове крутилась только одна мысль: скоро я буду дома. Под

**С женой Лаурой
и старшей дочерью
Луизой**

124

шум этого дикого ливня я и попрощался с островом «героев».

Сейчас, по прошествии времени, я вспоминаю съемки «Последнего героя» с теплотой: экзотический остров, хорошая компания, природа, погода... Так бывает: для того, чтобы оценить событие, нужно немножко отстраниться и взглянуть на него спустя какое-то время. Ключевая оценка, возможно, от этого и не сильно меняется, но чаще вспоминается только хорошее. По крайней мере, я так устроен.

ГЛАВА 8

С ПЕСНЕЙ — ПО ЖИЗНИ

Если бы я не стал актером, то наверное, стал бы музыкантом. Мне было всего три года, когда мама отдала меня в детский ансамбль, где я учился играть на мандолине. Экзотический по нынешним временам инструмент: романтичный, нежный, со светлым прозрачным звуком. Но, став подростком, я променял мандолину на гитару, с тех пор с ней почти не расстаюсь. Занимаюсь актерским пением: есть у меня такая потребность — продлевать хорошим песням жизнь.

Первые песни Улдиса Стабулниекса я записал еще совсем молодым — за одну ночь сразу несколько хитов. А первым музыкальным спектаклем, в котором мне довелось участвовать, стал спектакль «Орфей», кстати, пьеса была так себе, а вот музыка в ней звучала замечательная: усиливала лирические моменты, акцентировала их... А поэтому «Орфей» принимался зрителями очень неплохо.

В период, когда у меня не было никаких предложений в кино, мы с коллегой, актером Янисом Па-

ЕЛЕНА САФОНОВА:

«Ивар Калныньш — один из главных европейцев
в нашем кино. Все европейские роли всегда были его...
И думаю, это амплуа останется за ним еще надолго.
Этот человек навсегда останется в моем сердце,
как один из самых красивых моих партнеров,
самых обаятельных, самых мужественных,
самых жизнерадостных...
О том, что Ивар поет, я узнала на юбилее
Виталика Соломина. Когда Ивар вдруг вышел
и в его честь исполнил песню, я была потрясена!»

В Иерусалиме

На Уолл-стрит в Нью-Йорке

укштелло надели пиджачки, чтобы выглядеть посолиднее, пошли в эстрадное бюро и стали предлагать свои услуги — мол, имейте в виду: мы ребята способные можем стихи читать, песни петь... Нас приняли. Первое выступление назначили в институте физкультуры. Потом позвали на праздник урожая, дальше пошли приглашения из разных колхозов. Наша команда стала расти и шириться, композитор Раймонд Паулс написал для нас шуточные песни про любовь, и мы стали жутко популярны! Веселое было время...

Помню, к 8 Марта в театре кто-то написал заявление в профсоюз, что у него нет зимнего пальто, и на полученные деньги мы купили хорошее вино, фрукты и устроили праздник для наших дам. Впрочем, это был один-единственный раз, когда мы схитрили и попросили финансовой помощи. Вскоре наша певческая команда сама все могла купить. И мы узнали, что такое зависть коллег. В нашу группу напрашивались разные «обязательные» люди. Мы их не брали, и жизнь осложнялась. Нам устраивали худсоветы, требовали обязательно сдавать программу. Но нас это не сильно волновало. Мы выступали всюду, куда нас звали: в колхозах, на заводах, в красных уголках, в конюшнях, на площадях и всевозможных сценах. Давали какие-то шефские концерты под девизом — «искусство к станкам». И никаких проблем не было — выступали без аппаратуры, с парочкой акустических гитар... Колхозы рассчитывались с нами кэшем, и через какое-то время все члены нашей «бригады» купили по «жигулям»...

* * *

Однажды в филармонии два дня подряд шли юбилейные концерты Раймонда Паулса, на которых я читал эпифании знаменитого латышского поэта Иманта Зиедониса. Вдруг ко мне подходит какая-то нервная женщина «из структур»: «Вы что это себе позволяете?! Что вы читаете со сцены?» — «Это Имант Зиедонис, наш народный поэт. Напечатано в 1977-м году, на странице такой-то». — «Это сегодня неактуально!». Назавтра я читаю уже другую эпифанию Зиедониса...И опять претензии. Вот скажите, зачем ей это было надо?

К слову, с этим концертом произошла почти детективная история: наше выступление записывало латвийское радио, и эту запись украли!

Прошло несколько лет: иду как-то по Риге, и вдруг ко мне подходит совершенно незнакомый человек и с английским акцентом, на латышском языке, говорит, что хочет подарить мне пластинку с записью того самого концерта. Оказывается, эмигранты издали ее в Гамбурге. На ней было написано: «концерт записан с помощью КГБ». Аббревиатура КГБ на самом деле рас-

шифровывалась — Kulturas glabsanas biedriba
(по-русски — общество сохранения культуры).
Вот такие шутки!

* * *

В 1982 году я сделал монолог артиста, который
поет и читает со сцены. Композитор Артур Мас-
катс написал 25 песен на стихи замечательного
латышского поэта Ояра Вациетиса и еще 6 песен
на стихи Александра Чака. Мне захотелось про-
верить: смогу ли я удерживать внимание зритель-
ного зала, если на сцене нет абсолютно никаких
эффектов: ни меняющегося света, ни кордебале-
та, а только — микрофон и рояль. Это был своего
рода вызов, некий тест на профессионализм. Мы
с Артуром Маскатсом собирались показать свое
детище в малом зале театра «Дайлес», однако
нам выделили большой зал. Композиция и в самом деле имела успех: даже когда вся труппа уле-
тела на гастроли в Болгарию, нас оставили в Риге, чтобы театр не пустовал. И мы с Артуром
вдвоем героически держали кассу. А потом нам
дали возможность записать этот концерт на радио, и мы записали за вечер 25 песен! Сейчас
я ума не приложу, как мы это сделали. Ведь никаких компьютеров тогда не было — все делалось
вручную и вживую... Но мы справились без
«плейбеков «

На сегодняшний день у меня достаточно много различных записей, но эта простенькая пластинка, на которой звучит всего лишь рояль и голос, для меня, пожалуй, самая дорогая.

* * *

С песнями трудно понять, кто кого выбирает: ты песню или песня — тебя. Честно признаюсь, что к записи диска песен Вертинского, я приступал не без трепета. Его голос — грассирующий, слегка надтреснутый, не похожий ни на какой другой — прорывается через века под легкое шипение патефонной иглы. Завораживает, будоражит, забирается в душу, заманивает ностальгической нотой, окрашиваясь то надменными, то ироническими интонациями.... В музыке существует немало жанров: есть классика, есть попса, есть бардовская песня. А есть нечто особенное — Вертинский! Точнее всех о нем сказал Евгений Евтушенко: «Это был не поэт, не композитор, не певец, не актер. Вертинский был человек-спектакль». Повторять интонации и модуляции великого артиста я, разумеется, не стал — это невозможно, да и ни к чему. Просто спел его песни так, как их почувствовал. Насколько это получилось — судить слушателям.

Ещё один диск, о котором я вспоминаю с удовольствием, называется «Ивар Калныньш поет

Нью-Йорк

Поцелуй в Юрмале

Иногда я выступаю с оркестром

На съемках

песни Павла Зиброва». С этим киевским компози-
тором у меня давно сложились дружеские отношения. Однажды Павел сказал: «Отбери из моих записей то, что тебе нравится, и спой». Я отобрал
11 песен, записал их и подарил Павлу на день
рождения в других аранжировках.

А еще у меня есть опыт съемок в музыкальных
клипах. Все началось с клипа на песню «Ты бросил меня!», в котором я снялся в 90-х годах вместе с популярной в то время группой «Стрелки».
Речь шла о несчастной девичьей судьбе, а я был
задействован в роли рокового соблазнителя. Как
я оказался в этом клипе? Очень просто. Позвони-
ли из агентства, предложили договор, и я сказал:
«Нет проблем. Ради бога». Получилась крепкая
песня-однодневка, которая звучала чуть ли не из
каждого утюга. По-моему мнению, такие хиты тоже имеют право на существование. Шоу-бизнес
есть шоу-бизнес: о творческом долголетии здесь
задумываются в самую последнюю очередь, такова особенность жанра...

После съемок клипа на песню «Ты бросил меня...» девушки из «Стрелок» приехали в Ригу, чтобы выступить в клубе «Вернисаж». Я пришел по-
здороваться, а здороваться, как оказалось, было
уже не с кем: состав группы полностью поменял-
ся... Конечно, подобное музыкальное творчество,
как говорится, не мой формат. Я отношусь к музы-

ке со всей серьезностью и ответственностью. Собираю самые разные песни — по жанру и манере исполнения. Это романтические шлягеры как латышских, так и русских композиторов. С удовольствием пою на концертах, в телепередачах, на творческих вечерах. Появляется свободная минута — спешу в студию. Жаль только, что в кино у меня мало музыкальных историй. Возможно, просто не нашлось подходящей роли. Впрочем, как поется в популярной песне Раймонда Паулса, — «еще не вечер». Возможно, я еще спою в кадре. По крайней мере, мне этого очень хотелось бы.

ГЛАВА 9

РАЗГОВОР ПО ДУШАМ

Я стараюсь избегать интервью. Вовсе не потому, что такой гордый, звездный или вредный. И уж совсем не потому, что не уважаю профессию журналиста, — каждый труд почетен. Просто дело в том, что некоторым изданиям нужен только мусор, как будто в жизни нет больше ничего светлого и интересного. Работа над новой ролью, мои чувства и мысли интересуют далеко не всех акул пера. Зато им интересно, в каком доме я живу, с кем сплю, что ем и чем запиваю...

Лет десять-пятнадцать назад я разыграл репортеров из одной латвийской желтой газеты. Они жаждали узнать подробности моей личной жизни, а я в то время репетировал в Новом Рижском театре — и пригласил их именно туда. Назвал адрес... А вместо номера квартиры — номер гримерки. Приезжают журналист и фотограф утром по адресу — у нас накануне премьера бы-

В Нью-Йорке после съемок «Дронго»

ла, и мы — немножко подшофе — сидим во дворе с коллегами.

«Послушайте, но это же театр!» — возмущаются журналисты. — «Это и есть мой дом». — «А где же ваш холодильник?» А я им термос для льда показываю: «Вот он, ношу всегда с собой. Еда? Люблю поесть на газетке, кстати, вот остатки колбаски. И супчик в мисочке». — «А как же ваша семья?» — «Мои коллеги по театру и есть моя семья. А спим мы здесь, во дворе — любим сквозняк. Кстати, лично я сплю стоя. Как конь». — «Но все-таки — где ваша квартира?» Веду, показываю гримерку с театральными костюмами. Говорю, что здесь я тоже иногда сплю, потом показываю на раковину в коридоре: «Вот здесь я делаю все. Мою руки и вообще...» Статья вышла под заголовком, который был напечатан огромными буквами: «Ивар Калныньш пишет в раковину».

* * *

Однажды — был такой грех — я дал фотографу в ухо. Мы с бывшей женой решили первого сентября отвести вместе сына Микуса в школу. Да, у нас давно другие семьи, но парню это было важно! Идем втроем. Солнце светит. Настроение отличное. Смотрю — стоят папарацци наизготовку с объективами — поджидают уже. Мы повернули к черному ходу. А там тоже двое фотографов в засаде, и прямо к нам — со вспышками! Ну, я одному из них и врезал... У меня в этом плане советское воспитание. Простое как три копейки. Сначала нужно спросить: а можно ли вас снимать? И дождаться ответа. Да, ребята, я понимаю: у вас такой бизнес, вам наплевать на мое личное пространство... Ну а мне-то как жить? В общем, испортили нам праздник...

В общении с журналистами каких только казусов не происходило! Наверное, у меня чувство юмора специфическое. Спрашивают про ревность — отвечаю, что отрезаю женам головы. И это принимается за чистую монету. Задают вопрос про день рождения — говорю, что помню самый первый: сначала было темно, а потом стало светло, выглянуло солнце... Тоже «съедается», и появляется заголовок: «Актер помнит себя с самого первого дня рождения»... В одном издании даже написали, что ради любимой женщины Ивар Калныньш прополз по-пластунски по битому стеклу, в холоде и голоде...

Ну как, зачислили меня в журналистоненавистники? Совершенно напрасно! Я очень уважаю профессионализм и профессионалов, и мне совершенно неважно кто он — сантехник, режиссер, актер или корреспондент. Но поверьте, любопытство и глупость не имеют к профессионализму никакого отношения.

ЛАРИСА ВЕРБИЦКАЯ:

*«Не могу сказать, чтобы я могла бы влюбиться
в его экранный образ Тома Феннела, —
это мне вообще несвойственно... Но так или иначе
Ивар в какой-то степени повлиял на мой выбор
спутника жизни. Мне нравятся мужчины
такого типажа: красивые, статные, умные,
глубокие, надежные...
Велико было мое удивление, когда в джунглях Гаити
на съемках «Последнего героя» появился Ивар.
Он спустился с небес — как всегда элегантный
и импозантный — и очень лихо вписался в жизнь
островитян. Никогда и никаким образом не подавал
вида, что ему тяжело, что его что-то не устраивает.
Был внимательным, тактичным, находил место
и для шутки, и для улыбки — все у него было легко.
Несмотря на то что мы на острове были
обделены в плане гигиены и гардероба,
Ивар выглядел всегда безупречно».*

Любишь кататься — люби и саночки возить

Рок-н-ролл в песках

Свеча горела на столе

В «цветнике»

К слову, эту книгу мне помогает писать рижский журналист Елена Смехова из газеты «Суббота», с которой мы знакомы много лет. Привлечь профессионала к работе над книгой для меня абсолютно нормально — русский язык, несмотря на то, что я и совершенствую его постоянно, для меня все-таки не родной.

Как проходила наша совместная работа над книгой? Очень просто. Мы садились и разговаривали. Откровенно, долго и обо всем на свете. И получался примерно вот такой диалог:

— **Ивар, сейчас модно ругать СССР. Не хотите присоединиться к этому хору?**

— Нет, не хочу. Это моя молодость, в эти годы я пришёл в кино, влюблялся, на свет появились мои первые дети. Да, были пустые витрины, да, над страной висел железный занавес, да, нам пудрили мозги... Но ведь и хорошего было немало: например, национальные киностудии, на которых снимались прекрасные фильмы, проходил обмен режиссёрами и актёрами. Происходила диффузия культур.

...Недавно у меня раздался необычный звонок. «Как вы думаете, — спросили меня, — кто имеет право продавать фильмы Рижской киностудии советского времени?» Датчане, мол, интересуются. Но не знают, к кому обращаться: то ли в министерство культуры, то ли на киностудию...

— И что же вы им ответили?

— Я сказал, что все написано в титрах: кто авторы, кто исполнители, кто хозяева. Если произведения продаются третьим лицам для нового тиража, то должен подписываться договор с теми, кто в титрах. Но если датчане так интересуются, то давайте продадим им рижский Вантовый мост, пусть шлагбаум поставят и берут деньги за проезд. Или пусть купят песни Раймонда Паулса, которые он сочинил в советское время. «Что вы! Паулс ведь ещё живой!» — воскликнули на другом конце провода. «Ну вот, — говорю, — вы сами ответили на свой вопрос».

Да, с одной стороны, грустно, что нынче всё покупается и продаётся. А с другой — сам факт того, что на кино того времени есть покупатели, говорит о том, что оно было очень даже неплохим!

— Как Вы считаете, почему большинство старых советских фильмов хочется пересматривать, а современные — посмотрел и забыл?

— Давайте не будем идеализировать ситуацию. Хотя бы потому, что среди старых фильмов советской поры, есть и такие, которые не прошли проверку временем — эстетика устарела. Я вообще считаю, что сегодня нужно было бы разобраться с советским кино: что смотрится, а что — не смотрится. Понятно, что фильм «Война и мир» Бондарчука, в котором каждый кадр — шедевр, и какая-нибудь лента про то, как Ленин любил де-

**Из семейно-
го архива**

147

тей или про историю колхоза «Светлый путь», будут находиться совершенно в разных весовых категориях... Но ведь это все равно документы своего времени!

Для того чтобы снять фильм «на века», должно сойтись очень многое: талант режиссера, актерская игра, монтаж, музыка, шумовые эффекты. И непременно должно остаться что-то между строк, недосказанность, какая-то тайна...

— **Когда-то фильмы Рижской киностудии считались одними из лучших в Союзе... Сейчас в Латвии почти ничего не снимают. За державу не обидно?**

— В маленьких странах большое кино развивается с трудом. Таковы законы рынка и никуда от этого не денешься. Кинопроцесс — это не только творчество, но и производство. Нужны огромные вложения, многомиллионная аудитория. Откуда все это в Латвии? Здесь можно разве что снимать малобюджетное кино: без павильонов и декораций. Но Латвия может удачно принимать участие в совместных проектах.

— **Вы снялись более чем в 120 фильмах. Есть такие кинороли, за которые вам сегодня стыдно?**

— Пожалуй, нет. Просто были фильмы, в которых можно было бы не сниматься. Но ведь предугадать конечный результат невозможно. Не бывает такого, чтобы собралась съёмочная группа и решила: а давайте-ка, ребята, мы снимем плохой фильм! Все хотят снять хорошее кино, но что-то не срастается, не выходит, картина получается так себе. Но ты-то играл, вкладывал душу... Так чего же стыдиться?

— С какими режиссерами вам больше нравится работать: с тиранами, которые знают, как снимать кино и используют актеров в качестве послушных кукол, или с теми, кто позволяет артистам импровизировать, участвовать в творческом процессе?

— Мне повезло. С откровенными деспотами и самодурами на съемочных площадках я не встречался. Всегда работа получалась совместной. Актер обязан участвовать в создании роли. В противном случае ему нужно было бы идти на другой факультет. Например, бухгалтерский. Есть режиссеры, которые знают, чего хотят. А есть другие, которые в непрерывном поиске. И по ходу дела что-то рождается. Для меня этот второй вариант даже интереснее.

— А с зарубежными режиссерами вам сложнее работалось, чем с российскими?

— Все они ученики системы Станиславского: в Латвии, и в России, и в США. А потому особых сложностей не было. Русский стиль, русская актерская школа давно уже завоевали мир.

Отдых с семьей

— Как вы относитесь к съемкам в рекламе. Многие актеры считают это «низким жанром», недостойным большого артиста...

— Я отношусь к рекламе спокойно и без брезгливости. Это ведь тоже своего рода кинофильм, только короткий. За свою жизнь мне не раз доводилось рекламировать разные товары: шампуни, трикотаж, банковские услуги... И даже водку. Но если бы у меня был выбор, я бы рекламировал путешествия.

— Вы упомянули водку — известный актерский допинг. А как у вас по жизни складывались отношения с алкоголем?

— Алкоголь — неплохое лекарство: расширяет сосуды, анестизирует (улыбается). Все дело в дозе. У меня на глазах от алкоголизма погибло немало прекрасных актеров. Профессия располагает: творческая удача — надо принять на грудь, неудача — тоже надо принять... Бывало, я тоже выпивал, не святой ведь. Но, слава Богу, не слишком часто, и проблемой для меня это не стало. Были периоды одиночества, когда холостяцкая жизнь толкала каждый вечер на приключения, но это мне быстро надоедало...

Тем более, что в искусство, которое рождается под влиянием алкоголя и наркотиков, я не верю: творческий человек вполне может обойтись без них. Для того, чтобы сыграть пьяного, напиваться совсем необязательно.

— **У вас есть свой фирменный секрет работы над ролью?**

— Боюсь, что нет. Каждый раз, приступая к новой роли, приходится начинать с нуля — искать черную кошку в темной комнате. До тех пор пока не найдешь верную пластику, верную интонацию для своего героя. Иногда подсмотришь чью-то походку, иногда подслушаешь какой-то говор или акцент... И что-то щелкает — вот оно, решение. Порой все решает один-единственный маленький штрих или один правильно выбранный жест — и готово, роль сделана. Но рисунок роли всегда разный...

С годами темы и роли уходят, как песок сквозь пальцы. Любой актер приходит к осознанию того, что жанр, в котором он привык играть, мало-помалу становится для него «недействительным». Приходится менять амплуа, искать новые методы самовыражения, расширять палитру актерских красок, короче — постоянно работать.

— **Кто из артистов был вашим кумиром или примером для подражания?**

— Список получится длинным: Чарли Чаплин, Генри Форд, Бастер Китон, Юл Бриннер... Из современников: Аль Пачино, Роберт де Ниро, Георгий Жженов, Александр Абдулов, Михаил Боярский... Это артисты высочайшей пробы, которых я очень уважаю и люблю.

АНЖЕЛИКА АГУРБАШ:

*«В каком году был снят фильм «Театр»? В 1978-м?
Так вот, мне тогда было 8 лет, и я была влюблена
Ивара. И люблю его до сих пор!»*

С литовским коллегой — актером Регимаитасом Адомайтисом

Снорклинг — одно из моих хобби

— Знаете, Ивар, какой вопрос меня мучает: а артисты вообще люди? Иногда кажется , что это инопланетяне, настолько загадочно себя ведут. Обидчивы как дети. Суеверны до ужаса: некоторые, например, отказываются играть роль, в которой его герой умирает. А главное — актеры частенько путают жизнь со сценой и продолжают играть даже тогда, когда спектакль закончен...

— Да, такое иногда случается. Правда, у меня с этим все в порядке. Я стараюсь не путать жизнь и роли — у меня нет этого дурдома в голове. Что же касается обидчивости, то у актеров просто более обострены чувства, эти люди более открыты и уязвимы для переживаний. Так что в этом смысле что-то от инопланетян в актерах определенно есть (улыбается). А актерских примет не так уж много: например, сесть на роль, если она упала. Все они безобидные. Лично я не боюсь играть смерть на сцене. Ведь это такое же естественное состояние человеческого бытия, как любовь или ненависть.

— Проработав столько лет в профессии, вы можете признать, что актёры — самые зависимые люди на свете? Вся жизнь проходит в суете: заметят — не заметят, пригласят на роль — не пригласят...

— Знаете, я так не считаю. Не заметят, не пригласят? Что ж... У меня тоже были моменты, когда не приглашали, и ничего — выжил. Такие периоды даются артисту для того, чтобы мобилизоваться, подумать, как жить дальше, и, возможно, организовать что-то своё. В периоды простоя, например, организовать новый проект, найти для него деньги или вложить свои. Всё зависит от цели и от отношения к жизни.

По-моему, по части зависимости пальма первенства у режиссёра. Он зависит от обстоятельств гораздо больше, нежели артист, поскольку самовыражается через актёров, и отвечает за качество работы головой. Над ним властвует продюсер, который кричит: «Почему ты истратил столько денег, а снял г.... ?» От него требуют рейтингов, удачного проката, восторженных рецензий, и чтобы каждая вложенная копейка была отбита... А я — что? Если даже плохо сыграл, то всегда могу переиграть. Так разве я зависим? Я свободен!

— Однако многие знаменитые актёры подались в режиссуру и теперь снимают своё кино. Вам не хотелось бы попробовать себя в этой ипостаси?

— Нет, не хотелось бы. Никто из моих коллег, променяв актёрство на режиссёрский хлеб, увы, так и не стал Феллини. Как говорил Булгаков — «каждое ведомство должно заниматься своим делом». Вот я и занимаюсь. В режиссёре должно быть что-то от рабовладельца, а у меня совсем другой характер....

В Кабо-Верде. На родине Сезарии Эворы

МИРОСЛАВА КАРПОВИЧ:
«Он жутко обаятельный! Не каждый мужчина
в таком возрасте может так дурачиться!
Ивара очень тепло принимает зритель, ему всегда
хлопают, и он достоин самых ураганных
аплодисментов. Ивар очень импонирует мне тем,
что не боится показаться смешным, и, глядя
на своего партнера, я тоже могу гримасничать
и дурачиться на сцене так же, как он».

— Характер у вас и в самом деле совершенно не типичный для кинозвезды: полное отсутствие самолюбования и нарциссизма, сплошь и рядом присущие красивым артистам. Говоришь вам: «Ивар, недавно о вас вышла большая статья в российском журнале...» И слышишь в ответ удивлённое: «Да-а-а? Не читал». — «А ещё о вас замечательный фильм сняли! ». И снова в ответ: «Да-а-а? Не смотрел...» Вам что, и в самом деле все равно?

— Просто я очень иронично отношусь к себе и абсолютно равнодушен к рейтингам, рецензиям и прочему пиару. Да и кинозвездой себя не считаю. Ну были роли, ну снялся в фильмах, ну сыграл в спектаклях.... Так это же моя работа!

— Но ведь вам есть чем гордиться!

— Чем? Вот был бы у меня бюстик при жизни, допустим, где-то в лесу, я гордился бы. Цветочки к нему приносил бы ... (улыбается).

— А я знаю, чем вы гордитесь. Своими детьми, особенно младшими дочками. Как вы воспитываете их? Чему учите?

— Младшая, Вивьен Анна, еще слишком маленькая, чтобы чему-то учиться всерьез. А старшая, Луиза, такая инициативная, что ее совершенно не надо учить и куда-то подталкивать. Все сама придумывает. Сначала занималась акробатикой, потом пришло новое увлечение — керамика. Я-то и слова такого не знаю, может, дважды в жизни его употреблял, а ей нравится глина, нравится лепить! Потом увидела флейту — решила научиться играть. Начала рисовать — и сразу красками! Сейчас ходит в студию степа и бьет чечетку. А ведь это очень сложный танец, я лишь пару движений знаю. А еще Луиза учится во французском лицее, ей легко даются языки. Просто удивительно: к чему ни притронется — все получается.

Своих девочек я воспитываю не по Макаренко. Просто очень люблю их и балую. Появляюсь дома как дед Мороз, всегда с подарками. Мы все вместе много путешествуем по разным странам.

А вообще с детьми нынче непросто: на дворе космический век Интернета. Девочки отнимают у меня планшет, а потом возвращают его с множеством закачанных игр. Зато меньше кукол покупать!

— Многие родители говорят о том, что Интернет зло. Вы тоже так считаете?

— Интернет — это потрясающее изобретение человечества! Правда, одновременно и помойка, куда люди выплёскивают свой негатив, но это своего рода лакмусовая бумажка — показатель того, чем живёт общество. Сегодня без Интернета никуда. Но я всё-таки установил бы в нём «цензуру», некий фильтр, чтобы сделать всю эту грязь недоступной для детей. По крайней мере, мне спокойнее, когда мои дочки смотрят мультики, нежели когда они сидят в Интернете.

— **Хотите, чтобы ваши дочки пошли по вашим стопам?**

— Я не отношусь к той категории родителей, которые решают за детей, кем им стать. И в актёрскую династию никого тащить за уши не собираюсь. Видел такие семьи: природа не дала ребёнку таланта, а отец или мать с упрямством осла хотят вырастить из него Паганини, Моцарта или Сару Бернар. В этом смысле родительская любовь только вредит! Я даже считаю, что мамам-папам не стоит быть педагогами или тренерами своих чад. Лучше отдать ребёнка постороннему человеку на обучение, чтобы он посмотрел на него объективно и не искал талант там, где его нет.

— **Сегодня молодежь уезжает из Латвии в поисках лучшей жизни. Ваши дочки тоже уедут, когда вырастут?**

— Я согласен дать им образование даже за границей, но... чтобы вернулись!

— **Самый решительный поступок в вашей жизни?**

— Я присутствовал при рождении двоих своих детей. А ещё — бросил курить.

— **Ваш рецепт от плохого настроения?**

— В каждом случае помогает что-то своё. Иногда надо побыть с близкими, а иногда, наоборот, пережить это время в одиночестве. Порой стоит

ОЛЕСЯ СУДЗИЛОВСКАЯ:

*«Невероятный красавец — очень обаятельный,
очень интеллигентный. Ивар много шутит
и делает это очень тонко. Однажды на съемках
фильма «Дронго» была очень жесткая драка:
суперагент поймал мою героиню. До этого мы долго
репетировали, все было идеально отточено, но когда
начали снимать, получилось, что Ивар мне вывернул
руку. Боль была адской! Ивар страшно переживал:
присутствовал на съемках до конца смены, хотя
сцены уже снимались без него, стоял за камерой,
наблюдал за мной и всячески хотел помочь...»*

С Верой Глаголевой, Еленой Прокловой и другими

Люблю кабриолеты

**С Алексеем Петренко
и Анатолием
Котеневым**

**Парижский шик —
на фоне «Мулен Руж»**

выпить рюмку или почитать умную книгу. Хорошо сходить за грибами, побродить по лесу — там, в природе, кризиса никогда не бывает... А главное — поменьше смотрите телевизор. Все равно ничего нового не узнаете, только настроение испортите.

— **Опять шутите!**

— Зачем смотреть на ужасы и кровь, которая льется с экрана? По-моему, мир глупеет, как это ни прискорбно. А значит, надо создать свой творческий мир и поселиться в нем.

Я так и делаю — живу в творчестве. Наслаждаюсь семейным счастьем. Люблю делать что-то по дому. Недавно купил пылесос-робот, но он не пылесосит по углам, и мне приходится доделывать эту работу за него. Это здорово отвлекает от проблем.

— **Продолжите фразу: «Мне 66 лет, и я ещё молод, чтобы...»**

— ...Творить!

— **А что уже поздно делать в 66 лет?**

— Молодиться! Возраст нужно встречать достойно.

— **Чего вы не прощаете людям?**
— Обмана и подлости.

— **О чём просите Бога?**
— О том, чтобы мои дети были счастливы.

— **А вы счастливый человек?**
— Камю говорил так: «Если тебя не любят — это неудача. А если ты никого не любишь — это несчастье». Я любил, меня любили... Значит, я счастливый.

— **Ивар, читатели книги не простят нам, если мы ничего не расскажем о вашей личной жизни....**
— (Пауза). А без этого никак нельзя? (Снова пауза). А знаете что? Давайте вы расскажете о моей личной жизни!

— **Я?**
— А почему бы нет? Это будет таким новаторским решением, прорывом в литературе... (Улыбается). А я Вам помогу по мере сил....

ГЛАВА 10

ИТАК, ОНА ЗВАЛАСЬ ЛАУРОЙ...

Личная жизнь Ивара Калныньша — это бронированный сейф с секретными замками, куда нет доступа никому, даже близким друзьям и очень хорошо его знающим людям. Ивар оберегает свое личное пространство, как пограничник-патриот границу родины. И совершенно не желает впускать сюда посторонних.

Знаменитый актер был женат не один раз. С первой женой Илгой он познакомился в ранней юности. В семье появились две дочки — Уна и Элина. Семейное счастье продлилось двадцать лет. «Мы не ссорились, не скандалили в общепринятом смысле. Наверное, просто накопилась психологическая усталость. Кстати, первой ушла Илга. Она переехала к маме, а я остался с дочками. Какое-то время так и существовали», — вспоминает актёр. Илги уже нет в живых, а потому об этом браке Ивар рассказывать не любит — больно.

Второй женой Ивара Калныньша стала литовская актриса Аурелия Анужите. Они познакомились на съемках фильма «Тайны семьи де Граншан». От этого брака родился сын Микус. Но и этот союз со временем распался...

На вопрос «куда уходит любовь» Ивар Калныньш отвечает так:

— Трудно сказать. Может быть, улетает в космос, он такой огромный, — там что угодно может потеряться. А может быть, утекает в землю — как вода... Этого никто не знает. Мои родители всю жизнь прожили вместе, и я думал, что у меня будет так же. По крайней мере мне этого хотелось бы. Но бог распорядился по-своему.

К счастью, новая любовь актера не растворилась в космосе, не утекла под землю, а осталась рядом с ним. Вот уже много лет Ивар Калныньш счастлив с женой Лаурой.

* * *

...Лаура младше Ивара на 29 лет. Веселая, энергичная, уверенная в себе. Внешне она чем-то неуловимо напоминает Мону Лизу: тот же водопад черных волос, высокий лоб, загадочная улыбка. А в глазах — чертики! В общении Лаура — прямая, открытая и очень честная по отношению к собеседнику. Интересно — охотно выслушает и подхватит тему разговора, неинтересно — не будет изображать внимание. Рассуждает смело, мыслит нестандартно, а русский язык у нее просто блестящий. С чуть заметным прибалтийским акцентом, как у Ивара.

Кстати, сходство с Джокондой сыграло не последнюю роль в истории знакомства Ивара и Лауры. На одной из вечеринок актер подошел к понравившейся девушке и сказал: «Вы так похожи на Мону Лизу». «А вы похожи на Ивара Калныньша!», — не растерялась Лаура. Это было 15 лет назад.

— Лаура, для тысяч женщин на постсоветском пространстве Ивар Калныньш — идеал мужчины, несбыточная мечта, принц из сказки. Наверняка ваша love story тоже была какой-то необыкновенной, идеально-сказочной...

— Самое ужасное, что у нас нет такой красивой сказочной истории для читателей, для поклонниц таланта Ивара. Просто мы какое-то время находились в одной компании. И почему Ивар вдруг начал за мной ухаживать — этого я, честно говоря, не знаю до сих пор. Он в то время был свободным человеком, вокруг него было очень много женщин, и Ивар мог завоевать любую из них, но почему-то всю свою энергию и внимание направил на меня. Постепенно наши отношения становились все серьезнее и серьезнее.

— Как Ивар за вами ухаживал?

— Как и положено мужчине с большим опытом — старался читать мои мысли: возил к своим друзьям, в красивые места, показал все свое имущество, которое у него есть, мы вместе побывали на улице его детства... Сначала дарил маленькие подарки, потом — побольше...

Несмотря на то, что мне в ту пору было всего 24 года, я уже кое-что знала о мужчинах. К этому времени в моей жизни случилась первая любовь, я успела обжечься и приобрести какой-то опыт. А главное — у меня не было никаких иллюзий. И у Ивара — тоже. Наверное, это нас и сблизило: нам просто нравилось проводить время вместе. С Иваром я чувствовала себя уютно и удобно.

— Любая девушка на вашем месте начала бы тут же строить далекоидущие планы, стараясь привязать и удержать рядом такого мужчину...

— А я не строила на Ивара никаких планов! Мне просто было приятно, что человек пишет мне красивые сообщения, дарит подарки, проводит со мной время. Ивар умеет заботиться о женщине, умеет создавать комфорт. Если до встречи с ним я жила по принципу: все сама-сама, то сейчас я почувствовала заботу. Первый раз в жизни я не должна была думать на три шага вперед — за меня все обдумывал Ивар. Например, пригласив меня в Москву, он не просто купил мне билет, а записал но-

В музее Мюнхгаузена

мер такси, рассказал, где меня встретит его шофер, потом купил карточку на метро, нарисовал маршруты, чтобы я могла свободно передвигаться по городу... Словом, сделал все для того, чтобы мне ни о чем не нужно было волноваться.

— А что сказали ваши родители, когда вы поняли, что отношения с Иваром — это серьезно? Все-таки у вас с мужем солидная разница в возрасте...

— Родители меня всегда понимали. Даже если у них поначалу и был шок, то мне они этого не показали. А зачем? Ведь они видели, что их ребенок счастлив! У отца вообще прекрасные отношения с Иваром. Мой муж очень молод душой, и это глупость — считать возраст по паспорту. Мне кажется, что у нас в семье старшая я, а Ивар — младший, иногда мне кажется, что у меня трое детей.

— Признайтесь, актер Калныньш был вашим кумиром в детстве?

— Нет, не был! На театральной сцене я его не видела, потому что, когда Ивар ушел из театра «Дайлес», я была еще в таком юном возрасте, что на серьезные спектакли не ходила. А фильм «Театр» мне никогда не нравился, и такой типаж мужчин, который был у Ивара в молодости — тоже. Мне всегда нравились «плохие парни». Ведь женщины как устроены? Им хочется спасти мужчину, пожалеть его. Обогреть— обласкать, побрить-

помыть (смеется).... А если перед тобой красавец
с обложки: стильный, салонный, вальяжный — за
что же его пожалеешь? Не за что!

Сейчас с годами Ивар становится чуть-чуть «пло-
хим». Ну вы понимаете, о чем я говорю... Есть такой замечательный фильм «Год лошади. Созвездие
Скорпиона», где он играет скрипача — вот там мне
очень нравится!

— **Но вы же не могли не знать, что Ивар очень
знаменит, причем, не только в Латвии, но и далеко за ее пределами...**
— Я стала узнавать Ивара как творческую личность только тогда, когда он появился со мной рядом. А степень его популярности начала понимать
лишь после того, когда мы стали жить вместе.

— **Вы юрист по образованию, человек строгой
профессии, который призван следовать букве закона — и вдруг, благодаря Ивару, попали в творческую среду, которую всегда отличала некая рас-
слабленность, богемность... Не чувствовали ли вы
себя в этой компании чужой?**
— Наоборот! В творческих компаниях я давно
была своим человеком. К тому времени как мы познакомились с Иваром, я разочаровалась в профессии, хотя с детства мечтала бороться за правду как
мой любимый комиссар Каттани, он же Микеле
Плачидо, из фильма «Спрут». Но, отработав пол-

тора года в полиции, я поняла, что если и есть на свете профессия, в которой нет никакой правды, то это юрист. И я круто изменила сферу деятельности: пошла работать в ресторан музыкальным менеджером: устраивала вечера, знала всех рижских музыкантов, актеров, шоуменов и очень хорошо чувствовала себя в среде творческих людей. Но, конечно, Ивар привнес в мою жизнь новые интересные знакомства — в том числе и с российскими звездами.

— **Какие встречи вам особенно запомнились?**
— Ивар познакомил меня с актрисой, к которой я с детства испытывала глубочайшее уважение — Кларой Степановной Лучко. Я была просто очарована ею! Пять часов в автобусе по городам Германии — и всегда в макияже, в изысканной шляпке, с прямой спиной... Очень жаль, что у нас не осталось фото на память — батарейка закончилась....

Ивар познакомил меня с Олегом Меньшиковым, Михаилом Боярским, Константином Райкиным, Ириной Алферовой. Ирина — необыкновенная женщина! Являясь кинозвездой первой величины и эталоном красоты для нескольких поколений, в жизни она остается очень теплым, душевным и скромным человеком. В ней нет ни капли снобизма, ни малейшего налета звездности... И ко мне она относится прекрасно, хотя мы с ней виделись буквально пару раз. Мне кажется, многим современным «кинозвездочкам» нужно поучиться отношению к жизни у Ирины Алферовой — актрисы, которая удерживает внимание зрителя уже 40 лет, оставаясь при этом человеком, общаться с которым легко и приятно.

А еще у нас сложилась дружба с сестрами Арнтгольц — мы путешествовали вместе с ними во время гастролей по Германии, Америке, Израилю. Сегодня Таня и Оля всегда желанные гости в нашем доме. Это удивительные девочки! Светлые, добрые, немножко не от этого мира, абсолютно лишенные высокомерия и фальши.

— Как Ивар сделал вам предложение? Опустился на колено и подарил кольцо с бриллиантом, как положено киногерою-любовнику?

— Вообще-то я не собиралась замуж, и Ивар тоже боялся этого шага. Это было скорее юридическое оформление бумаг, потому что семья до свадьбы у нас уже была. А что касается свадебного шоу — белое платье, гости, крики «горько!», поездка на лимузине в Рундальский замок, то... я ничего этого не хотела! И на колено Ивар с бриллиантовым кольцом не становился — к чему этот спектакль? Он и без того мне дарит кольца очень часто, причем, совершенно без повода: понравилось — купил. Так что бриллиантов у меня хватает, они уже

Нью-Йорк. 1994 год

все дочкам расписаны — у них свой график (улыбается). В следующем году Ивар хочет отвести меня к алтарю.

**— И все-таки официальный брак — это офици-
альный брак. Неужели для вас ничего не изменилось?**

— А что должно было измениться? Для меня
всегда было важно только одно: чтобы Ивар ехал
ко мне потому, что соскучился, а не потому, что
я его окольцевала, и мы поставили в паспорт какие-
то штампики. Наоборот, я всегда его отпускала:
хочешь — приходи, хочешь — не приходи. И никогда не держала.

**— Какой Ивар в быту? Многие актеры беспо-
мощны как дети...**

— Ивар умеет абсолютно все: он спокойно может жить один, и такие моменты были в его жизни. Отец научил его тому, что должен уметь настоящий мужчина, хозяин в доме. Я не должна думать, как прибить покосившуюся полку или что
делать с секцией, в которой не закрываются двер-
цы — это забота Ивара. Повсюду — в каждом нашем доме: в городской квартире и в деревне — у него есть шкаф с инструментами, а в деревне — даже
верстак! Ивар вообще очень самостоятельный: может и приготовить, и погладить, и пуговицу при-
шить. За всю нашу семейную жизнь я от силы при-
шила ему шесть пуговиц и погладила четыре ру-

башки. За свой гардероб он отвечает сам. И вещи тоже покупает себе сам. Иногда, правда, может спросить моего совета: какую сорочку лучше надеть — фиолетовую или белую или какой галстук больше подходит к костюму.

— А на кухне кто из вас царствует?

— Конечно, я. Кухня — это женские дела. Мужчина в фартуке мне не кажется сексапильным. Пусть он лучше будет с молотком, пилой или косой — это выглядит красиво и по-мужски. Другое дело, если я заболею — тогда Ивар и кофе мне сварит, и детей покормит, и обед приготовит, и посуду помоет. Все сделает. Но такие ситуации — редкие исключения, а не правило.

— Какое у вашего мужа самое любимое блюдо?

— Серый горох со шпеком (латышское национальное блюдо — прим. ред.), картошка с селедкой... Конечно, под настроение мы едим и суши, и морепродукты, но самая любимая еда — здоровая.

— Назовите самые хорошие черты в Иваре, за которые вы его цените.

— Мужественный, самостоятельный. Очень ответственный. Я никогда в жизни не волновалась, что он чего-то не сделает: не встанет утром, куда-то не поедет или затусуется. Вот, например, где-то идет тусовка до 5 утра , но я знаю: ровно в 7 часов

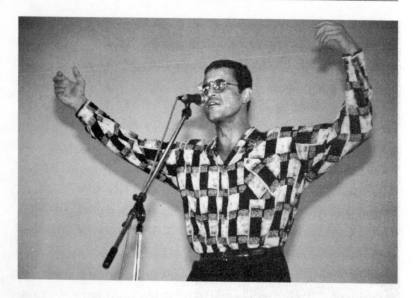

Читаю стихи

Я и одинокий туфель

Какой актер не любит цветов?

С Михаилом Ефремовым, Никасом Сафроновым и Виктором Мережко

Ивар встанет и поедет туда, где он должен в это время быть.

Ивар никогда не упрекнет меня за то, что я долго одеваюсь или крашусь перед выходом. У меня всегда есть время, и я знаю, что меня терпеливо подождут, а не будут кричать: «Сколько можно собираться! Мы опаздываем!» Моя подруга плачет: «Муж не хочет в театр, а я сто лет нигде не была!» У меня таких проблем нет — Ивар легок на подъем.

Очень важно, что он нескупой: я могу покупать себе сколько угодно вещей. И мне не надо зачеркивать нолики или врать, что это платье я купила на распродаже... А еще он очень талантливый, умный, красиво поет, хорошо танцует, любит носить пиджаки... Я могу долго рассказывать об Иваре!

— И все-таки жить под одной крышей с творческим человеком непросто. Из-за чего вы можете поссориться?

— Когда Ивар готовится к спектаклю или концерту, он сильно нервничает, и тогда любая мелочь способна вывести его из себя, даже неправильно положенная вилка. Он может устроить крик из-за ерунды буквально на ровном месте. Мы с детьми прекрасно понимаем это состояние и стараемся вести себя как можно тише... Он кричит — а мы... на цыпочках!

Я думаю, что нет такой конкретной вещи, которая могла бы спровоцировать Ивара на ссору: если бы она существовала, я бы никогда не делала того, что ему не нравится.

Понимаете, с одной стороны с Иваром очень легко жить, с другой — ужасно тяжело. Как все очень талантливые люди, это человек двух граней. Однажды он спросил меня: «А что будет, если ты от меня устанешь?». Я ответила, что найду себе бухгалтера: тихого, скромного, предсказуемого, в очках, который будет приходить домой каждый день в пять часов. Но до этого дело еще не дошло (улыбается).

— **Что изменил Ивар в вас, а вы — в нем?**

— До встречи с Иваром я была максималисткой: весь мир вокруг меня делился на два цвета: либо белое, либо черное, других вариантов я не признавала. Ивар научил меня различать в жизни полутона. Научил позитивно мыслить, позитивно говорить, не впадать в панику... Он гораздо более спокойный и уравновешенный, чем я. И мне кажется, что с ним я тоже стала уравновешеннее, научилась сдерживать свои эмоции.

А в чем изменила Ивара я? Надо подумать... Наверное, мне удалось показать ему, как хорошо, когда тебя ждут... Не контролируют, а именно ждут. В жизни Ивара встречались ревнивые женщины, которые старались контролировать чуть ли не каждый его шаг. Я никогда не спрашиваю его: где он, почему и с кем. Только скажи, во сколько ты будешь дома. В три или в пять? Вечером или

РАЙМОНД ПАУЛС:
«Про внешность Ивара говорить не буду —
его и так все женщины обожают.
Скажу про музыкальный талант:
мы много работали над музыкальными программами,
и Ивар всегда был на высоте».

утром?... Просто скажи! Потому что я за тебя волнуюсь! Наверное, Ивар почувствовал разницу между контролем и заботой: теперь он всегда звонит мне, когда прилетает куда-нибудь, шлет сообщения, если задерживается...

А еще, как мне кажется, я научила его делиться проблемами, проговаривать их вслух. Ивар очень сильный, самодостаточный и привык рассчитывать в жизни только на себя. Он не знал, что свою ношу можно с кем-то разделить и раньше часто произносил фразу: «Это мои проблемы». «Ну мы же семья, — отвечала я ему. — Даже если я не могу тебе помочь, я хочу знать, почему у тебя плохое настроение.» Теперь он гораздо чаще делится со мной своими мыслями и чувствами, чаще говорит хорошие слова...

— Ивар присутствовал при рождении вашей старшей дочки Луизы. Чье это было решение — пойти в родильный зал вместе?

— Так решил Ивар. Сказал, что готов к этому. И я согласилась, хотя, если честно, не очень-то одобряю это женское желание — тащить за собой в родильный зал мужчину. Не всем дано такое зрелище выдержать! Но я была уверена, что Ивар справится и не упадет в обморок — он не из таких. Роды прошли красиво и легко. У Ивара был праздник, он был счастлив, поил всю больницу шампанским... Хотел пойти вместе со мной на роды и второй нашей дочери — но не успел, Вивьен родилась на три недели раньше срока....

— На какие жизненные ситуации вы с мужем смотрите одинаково? Что вам не нравится в людях?

— Мы оба не выносим такие качества, как тупость, ненадежность и лень. И очень не любим законченных пессимистов, которые вечно пищат и ноют: «Все плохо, нет в жизни счастья». А что плохо-то? Нет работы? Я дам тебе лопату — иди, копай. Скучно жить? Иди, учись чему-нибудь новому, не лежи на печке! Я, например, не так давно освоила новую профессию — косметолога, и мне это интересно.

— Это потому, что Ивар подарил вам косметический салон?

— Это даже не подарок, а такое мудрое решение — вклад в будущее. Салон — это семейное дело, которое приносит доход.

— А какие подарки от Ивара вам запомнились больше всего?

— Стоимость подарка для меня мало что значит: мне вполне достаточно чтобы с утра, когда я открою глаза, рядом были просто кофе и цветы. Больше ничего и не надо!

Ивар дарил мне и недвижимость и шубы... Однажды подарил дорогую машину, но мне она оказалась не нужна: я боюсь садиться за руль... А самым запоминающимся сюрпризом от Ивара для меня, пожалуй, стало платье, которое он привез нашей старшей дочери Луизе для крещения. Оно было просто фантастическим! Красивым у принцессы, с нарядной шапочкой... Вы только представьте: мужчина выбирает платье для своей дочки, точно угадывает с размером, заботливо везет обновку в огромной коробке, чтобы не помять оборки и воланы... На такой «подвиг» не каждый способен! Это не колечко купить.

— **Как ваша семья отдыхает?**

— У нас два варианта. Первый — в деревне, где мы купаемся, загораем, едим ягоды, сеем редиску. Второй вариант отдыха — длинные путешествия. Мы можем позволить их себе во время зимних каникул старшей дочки Луизы: собираемся и уезжаем куда-нибудь далеко-далеко, на другой конец земли. Катаемся на слонах, верблюдах, валяемся на пляже, много-много плаваем, строим замки из песка, играем в слова: кто больше назовет их на одну букву... А на самом деле просто радуемся тому, что можем наконец побыть все вместе. Такое удается нечасто...

— **Как строится обычный день в семье Калныньшей?**

— Я встаю, бужу старшую дочку Луизу, кормлю ее завтраком. А потом она тихо-тихо подходит

**Борьба
джентльменов**

**С режиссером
Марком
Рудинштейном**

к Ивару со словами: «Папа, милый, не можешь ли ты отвезти меня в школу?» Школа — Французский лицей — у нас восьми минутах ходьбы от дома: на машине добираться дольше, чем пешком. Но для Ивара это одно из его счастий — отвезти дочку в школу. Потом мы возвращаемся, и у нас происходит ритуал под названием «второй сон». Пока бедная Луиза учится, мы снова идем спать — досматривать сны. Завтракаем поздно... Потом забираем из дочку из школы и различных кружков, на которые она ходит.

И если Ивар остается дома, то в семье праздник! Он очень любит детей: катается с ними на роликах, на велосипеде, балуется... Мы отправляемся в кино или идем бродить по Старой Риге. Засыпают дочки под сказки: я их читаю, а Ивар сочиняет, импровизирует. Дети уже знают: если мама дома — то спать нужно идти спокойно, а если папа — то можно кувырком.

— Ивар хороший отец?

— Очень хороший. Хотя он не из тех отцов, которые живут жизнью детей. Знаете, есть такие папы, которые часто приходят в школу, знают всех учителей и расписание уроков. Ивар больше отец-праздник. Детей он не воспитывает, он их балует... Ему нравится, чтобы в доме было весело! Да, если надо, Ивар может и памперсы поменять, и косички заплести. Но тандема по воспитанию у нас нет. Он материально обеспечивает семью на сто процентов, делает все для того, чтобы мы жили в достатке, создает мне все условия для воспитания детей, но не углубляется в воспитательные проблемы. Я этого от него и не требую: молю бога за то, что мне не нужно каждый день ходить на работу с 8 до 18, и что у детей нет няни.

Я всегда помню, что в первую очередь Ивар — артист, а все остальное — потом.

— В каждой семье есть свои традиции. Какие у вас?

— Мы празднуем все праздники: отмечаем дни рождения, на Рождество пишем письма Деду Морозу, и он нам всегда приносит подарки. На Лиго (праздник, который отмечается в Латвии 23 июня — прим. ред.) плетем венки, Ивар разжигает большой костер... Красим яйца на Пасху, к девочкам в гости обязательно приходит пасхальный заяц... И я до сих пор не могу понять, верит ли моя старшая дочь в этого зайца, дедушку Мороза и прочие сказочные персонажи. Или просто нам подыгрывает?

— Лаура, не секрет, что об Иваре, как о любом известном человеке, ходит достаточно сплетен. Наверное, вы уже привыкли к ним, но я никогда не поверю, что вас это не расстраивает... Какую самую невероятную глупость вы прочли о своем муже и как к этому отнеслись?

С режиссером и драматургом Виктором Мережко

Лучше лыж могут быть только... лыжи!

НАТАЛЬЯ БЕЛОХВОСТИКОВА:

«В фильме «Год Лошади — созвездие Скорпиона»
Ивару досталась роль Скрипача. И он действительно
играл на скрипке, чем всех нас поразил.
Для нас это стало открытием. А для него было
в порядке вещей: «Я когда-то играл в детстве,
вспомнил...» — скромно сказал Ивар».

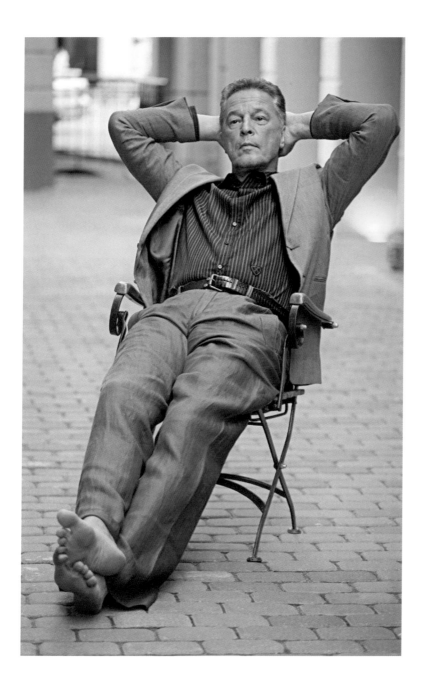

— Больше всего меня расстроила ложь о том, что он бьет женщин. Это самая гнусная гадость, которую только можно было придумать об Иваре! Я знаю, откуда пошел этот слух, и мне кажется чудовищным, что можно вот так, запросто оболгать человека.

Конечно, я не верю сплетням и слухам. Но мне крайне неприятно, когда нагло врут! Например, написали, что такое-то мероприятие Ивар вел пьяным. Но это бред! Ивар — человек очень высокой ответственности во всем, и в первую очередь в том, что касается его профессии. Я могу за него поручиться: он никогда себе подобного не позволил бы. Да и как Ивар мог быть пьяным, если в этот день он приехал на мероприятие на машине?

Никто не может судить об Иваре, потому что никто не знает его как личность. А я знаю! Мне досадно и обидно, что кто-то запускает эти гадости в мир и при этом остается безнаказанным.

— А вам не обидно, что вы как жена известного артиста всегда в тени, на втором плане?

— Я самодостаточный человек. И прекрасно понимаю, что меня знают как жену Ивара Калныньша. Это нормально, ведь я не сделала в жизни ничего публичного, чтобы люди узнавали меня на улицах и просили автографы. Возможно, если бы я была творческим человеком, то переживала бы... В семьях творческих людей часто начинается соревнование за пальму первенства. А я просто создаю Ивару условия для того, чтобы у него было больше творческих сил, поддерживаю его и хочу, чтобы он еще долго пробыл на вершине славы. У меня нет зависти к его успеху. Я рада, что он знаменит, удачлив, востребован.

— Бывают ли в вашей семейной жизни моменты, когда популярность Ивара мешает?

— Лично мне она только помогает. Я всегда в форме! По любому поводу. Даже если нам с Иваром и детьми нужно просто-напросто выйти в магазин. Потому что знаю: когда мы уйдем, все будут нас обсуждать. А значит, все во мне должно быть на сто баллов: и одежда, и прическа, и маникюр... И дети должны быть одеты-причесаны идеально.

Что касается детей, то старшая дочь уже знает, что с ее отцом все хотят сфотографироваться. Но мы стараемся не акцентировать и не афишировать его популярность. Слава богу, Калныньш в Латвии такая же распространенная фамилия, как в России Иванов.

— Где у вашего мужа любимое место в доме?

— У него есть свой кабинет. А еще у нас в доме есть андерграунд, в котором оборудована студия, с гитарами, перкуссией и прочими музыкальными инструментами. Когда надо поиграть с детьми, он спускается с ними в студию: берет гитару, вручает каждой дочке по «погремушке» и поет. Он часто поет....

— **Ивар прекрасно поет. А вы? Может быть, у вас за эти годы сложился семейный дуэт?**

— Я стараюсь не петь: у меня очень много друзей с абсолютным слухом, которых я уважаю и потому не пою. А если пою, то тихо-тихо. Например, колыбельные детям.

— **Кто друзья вашего дома? Кто может приехать к вам запросто, без звонка?**

— Без звонка давно никто не приезжает. Потому что сначала надо узнать — дома Ивар или в отъезде. Да и возраст у нас уже не тот, чтобы постоянно тусоваться. Конечно, был такой период, когда все время занимала одна большая тусовка: то мы в гостях у кого-то, то у нас полный дом гостей. С рождением ребенка все изменилось. Некоторые друзья дома отпали: я не люблю тупых гулянок. Один день выпить-закусить — это я еще могу понять. Но гулять несколько дней подряд — это уже перебор!

Мы дружим с Эммануилом и Ириной Виторганами, часто ездим к ним в гости, у нас прекрасные отношения с сестрами Арнтгольц. У Ивара есть друг детства и юности, который всегда желанен в нашем доме. А много друзей быть и не должно.

— **Спрашивает ли Ивар вашего совета, когда приступает к новой работе?**

— Мы обговариваем некоторые его проекты, особенно по Латвии. Я лучше знаю местный рынок:

С Михаилом Боярским

Дочери Луиза и Вивьен

какие сериалы в топе, какие нет. Но решение, конечно, Ивар всегда принимает сам. Если он еще колеблется, я могу высказать свое мнение, и возможно, он к нему прислушается. Но если Ивар принял окончательное решение, то я могу упасть на пол и бить ногами — он сделает так, как считает нужным. Это правило касается не только творческих проектов, а абсолютно всего в жизни: от поездки в отпуск до покупки телевизора.

— **Ивар прекрасно выглядит: кажется, что в паспорте кто-то перепутал даты. Это благодаря вам и вашим советам косметолога?**

— Нет, тут совсем другая причина — генетика. У Ивара она очень хорошая. Я, правда, пару раз, покупала ему дорогие кремы. Но дело не в них. Просто одному человеку от природы дана короткая молодость, а другому — длинная. Ивару очень повезло: гены замечательные, а по поводу своей внешности он совершенно не заморачивается! У него нет этих метросексуальных замашек — смотреть на себя, любимого, в зеркало, прихорашиваться и млеть от восторга.

— **Ваш муж чрезвычайно нравится женщинам: у него столько поклонниц по всему бывшему Союзу, причем, всех возрастов! Неужели вы его нисколько не ревнуете?**

— Так это же хорошо, что Ивар нравится женщинам! (смеется). Зачем мне муж, который никому не интересен?! Хотя если серьезно: иногда сердце вздрагивает... Но, знаете, я уверена в своих позициях. Ревновать Ивара — занятие бессмысленное. Его так часто не бывает дома, у него так много возможностей завести какой-то роман на стороне... Но по-моему, он уже взял от жизни взял все, что можно, и сейчас находится в том мудром возрасте, когда понимает: можно очень многое потерять, если сделать всего одно неверное движение или сказать одно неверное слово. Я ведь не прощу, и Ивар это знает...

А что касается поклонниц... Меня часто спрашивают: «Вот сейчас Ивар поет песню, это он поет для тебя?» Или: «А это стихотворение со сцены он посвятил тебе?» Я отвечаю: «Нет, милые девушки, это не для меня. Это все для вас! Наслаждайтесь — он же на-род-ный!»

А потом Ивар приходит домой. Со спектакля или концерта. Веселый или усталый... Мы закрываем двери и остаемся вдвоем. И вот тогда все, что он делает, думает, чувствует — посвящается только мне одной.

ГЛАВА 11

«А НАПОСЛЕДОК Я СКАЖУ...»

Пришла пора расставаться с вами, дорогие читатели! Давайте сделаем это как в песне из фильма Марка Захарова «Обыкновенное чудо» — негромко, вполголоса... Простимся светло и легко! Занавес уже дрогнул, и ему пора опускаться. Не будем затягивать минуты прощания.

Зачем и для чего я взялся за эту книгу? Для того, чтобы переквалифицироваться из актеров в литераторы? Ни в коем случае. Ради заработка или амбиций? Опять мимо! Я точно знаю, что не все в этом мире измеряется деньгами, и чувствую себя вполне реализованным человеком.

Для того, чтобы разобраться в себе? Но я против душевного стриптиза перед публикой. Простите, если не оправдал ваших ожиданий, оставив за кадром какие-то личные моменты, о которых вы хотели бы узнать поподробнее. У каждого

ЗИНОВИЙ РОЙЗМАН:

*«Работать с Иваром в «Дронго» было потрясающе
легко! Он очень дисциплинированный, собранный
артист, полностью сконцентрированный на роли.
Всегда в отличной форме, знает текст,
очень пластичный и органичный.
Настоящий профессионал!»*

человека есть тайны, в которые нельзя допускать посторонних. Для исповеди существует церковь, а все свои грехи я знаю. Могу только сказать, что любую свою неудачу, встреченную на жизненном пути, я воспринимал как школу: удар под дых тоже многому учит... Дело не в ошибках, а в умении исправлять их, самое главное — чтобы хотя бы 60 процентов того, что ты делаешь в жизни, было с плюсом. По моему, мне это удалось, по крайней мере, я всегда стремился к этой пропорции...

Тогда, может быть, я пишу эту книгу для того, чтобы подвести жизненные итоги? Да, часики тикают, и как поется в песне «ты еще не стар, но уже не юн...» Но я не задумываюсь над тем, сколько мне лет, а благодарю Всевышнего за то, что он дал мне возможность жить, любить, растить детей, творить в кино и на сцене...

Шекспир говорил, что вся жизнь — театр. Я с этим не согласен. Возможно, этот постулат относился к скоморохам, которые играли историю Шекспира. В жизни все не так! Людям кажется, что артисты врут, а на самом деле мы с помощью искусства, наоборот, ищем правду. Как бы это высокопарно не звучало, но искусство вечно. «Это особая форма не только выражения, но и познания» — говорил великий латышский поэт Янис Райнис. И я полностью с ним согласен!

На отдыхе с семьей

Младшая дочь Вивьен

Я взялся за эту книгу для того, чтобы вспомнить всех, кто мне дорог. Людей, которые ныне здравствуют, и которых уже нет с нами. Всех, кого я люблю или любил. Всех, кому благодарен за то, что моя жизнь сложилась так, а не иначе.

Если вы прочли эту книгу, то я полагаю, что моя судьба вам небезразлична. Благодарю всех, кто прочел мой литературный труд и не пожалел для этого своего времени. Всего вам доброго, дорогие мои читатели! Мы с вами еще обязательно увидимся! Я буду ждать вас на своих кинопремьерах и спектаклях.

Ваш Ивар Калныньш,
Апрель — сентябрь 2014 года, Рига.

* * *

Герой-любовник, который идет по жизни смеясь. Красавец-брюнет, с легкостью разбивающий женские сердца. Повеса, супермен и ловелас в одном флаконе... Все это всего лишь сценические образы!

В жизни Ивар совершенно другой — философ и реалист, никогда не путающий жизнь с театром. Шутник-балагур с отменным чувством юмора — для друзей. Прекрасный семьянин — для своих самых дорогих девчонок: Лауры, Луизы и Вивьен. Бренд Латвии — для всего постсоветского пространства. И настоящий патриот — для своей страны Латвии, которую он любит без пафоса и трескучих фраз.

Ивар — актер такого ранга, о котором снимаются фильмы. К счастью, при жизни. К 60-летию артиста крупнейшая российская компания ООО «МТК Ирбис» снял фильм «Мужские игры Ивара Калныньша», а к 65-летию — на телеэкранах с огромным успехом прошла картина «Ивар Калныньш. Роман с акцентом». В этих фильмах Ивар Калныньш говорит очень мало. Он вообще не любит рассказывать о себе. Зато сколько замечательных слов о нем сказали его друзья, коллеги, партнеры по фильмам и спектаклям!

Из семейного архива

ФИЛЬМОГРАФИЯ

В общей сложности Ивар Калныньш снялся более чем в 100 фильмах.

«Илга-Иволга», роль — Юрис, (1972).

«Право на прыжок», роль — Гришанов, (1972).

«Петерс», роль — латышский стрелок Паул Кирсис, (1972).

«Верный друг Санчо» , роль — синьор Родригес, отец Санчо ,(1974).

«Приморский климат», роль — Эрик, (1974).

«Стрелы Робин Гуда», эпизод ,(1975).

«Поговори со мной», роль — отец Гунтиса, (1975).

«Яблоко в реке», роль — Янис, (1976).

«Под опрокинутым месяцем», роль — Юрис, (1977).

«Подарки по телефону», роль — Роберт Салс, (1977).

«Красные дипкурьеры», роль — налетчик, (1977).

«Мужские игры на свежем воздухе», роль — практикант-вгиковец на киностудии, (1978).

«Театр», роль — Том Феннел, (1978).

«Инспектор Гулл», роль — Джеральд Крафт, (1979).

«Маленькие трагедии», роли — Фауст (в первой серии), Дон Карлос (в третьей серии), (1979).

«Личной безопасности не гарантирую», роль — Андрей Бологов, (1980).

«Миллионы Ферфакса», роль — Поль Ферфакс, (1980).

«Незаконченный ужин», роль — Матс Линдер, (1980).

«Не стреляйте в белых лебедей», роль — лесничий Юрий Чувалов, (1980).

«Ранняя ржавчина», роль — Итало, (1980).

«Белый танец», роль — Игнат, (1981).

«Душа», роль — переводчик Карл Норман, (1981).

«Сильва», роль — Эдвин, (1981).

«Случай в квадрате 36-80», роль — Ален, (1982).

«Двое под одним зонтом», роль — Дан, (1983).

«Идущий следом», роль — Валентин Русов, (1984).

«Тайна виллы "Грета"», роль — Ян Плинто, (1984).

«ТАСС уполномочен заявить...», роль — Игорь Минаев, (1984).

«Капитан Фракасс», роль — Герцог Воломбресс, (1984).

«Софья Ковалевская», роль — Виктор Жаклар, (1985).

«Зимняя вишня», роль — Герберт, (1985, 1995).

«Искушение Дон-Жуана», роли — Командор и Дон Жуан, (1985).

«Парашютисты», роль — Дитер Нагель, (1985).

«Малиновое вино», роль — Альберт, (1985).

«Крик дельфина», роль — капитан-подводник Рейфлинт, (1986).

«Фотография с женщиной и диким кабаном», роль — Зигурд Зиракс, (1987).

«Вход в лабиринт», роль — профессор Александр Панафидин, (1989).

«Взбесившийся автобус», роль — Валентин Орлов, (1991).

«Седая легенда», роль — князь Кизгайло, (1991).

«Разыскивается опасный преступник», роль — полковник Михаил Черных, (1992).

«Тайна виллы», роль — Молотков, (1992).

«Тайны семьи де Граншан», роль — Фердинанд, (1992).

«Цена головы», роль — Уильям Кросби, (1992).

«Шоу для одинокого мужчины», роль — Ивар, (1992).

«Рэкет», роль — Сергей Гридасов, (1992).

«Ночь вопросов», роль — Юрий Клименко, (1993).

«Неизвестный», роль — полковник КГБ Суворов (1993)

«Медитация насилия», роль — Председатель, (1993).

«Рижские девы (каникулы)», роль — Шагалин, (1996).

«Жернова судьбы» («Мельница судьбы»), роль — Эдук Мелдерис, (1997).

«Золотой автомобиль», роль — полковник, (1999).

«Любовь, смерть и телевидение», роль — Ивар, (2000).

«Мистерия старой управы», роль — Хуго, (2000).

«С новым счастьем!» роль — Владимир Тоболицкий, (2000).

«Черная комната», роль — Валерий Харченко, (2000),

«Салон красоты», роль — Дон Антонио , (2000).

«Время любить», роль — Андрей, (2002).

«Вальс судьбы», роль — Гунарс (2001)

«Дронго», роль — Дронго, (2002).

«Время любить», роль — Алдис, (2002)

«Удар Лотоса», роль — хозяин клуба (2001), «Удар Лотоса — 2» (2002), «Удар Лотоса — 3» (2004).

«Год лошади», роль — Скрипач, (2002).

«Торгаши», роль — банкир Виктор Гущин, (2004)

«Опера -1. Хроники убойного отдела», роль — Дмитрий Кондаков, (2004).

«Любовь слепа», роль — Викентий, (2004).

«Золушка», роль — певец (2005).

«Примадонна», роль — Марк-Король, (2005).

«Зеркальные войны. Отражение первое», роль — конструктор Антон Кедров, (2005).

«За все тебя благодарю», роль — Вадим Андрее-вич, (2005)

«Расплата за грехи», роль — Павел Соболь, (2006).

«Студенты», роль — ректор Бруно Янович, (2006).

«Коллекция», роль — Шувалов, (2006).

«Бес в ребро, или Великолепная четверка», роль — Игорь Гудини, (2006).

«Капитанские дети», роль — Вернер, (2006).

«Городской романс», роль — Павел Соболь, (2006).

«Опера-2. Хроники убойного отдела», роль — Дмитрий Кондаков, (2006).

«Опера-3. Хроники убойного отдела», роль — Дмитрий Кондаков, (2007).

«Королева льда», роль — Михаил Катаев, (2008).

«Золотой автомобиль», роль — полковник, (2009).

«Вера, Надежда, Любовь», роль — Ивар Петрович, (2010).

«Тайны дворцовых переворотов», роль — Бурхар Христофор фон Миних, (2011).

«Золотые небеса», роль — Алекс, (2011).

«Забытый», роль — первый секретарь обкома партии, (2011).

«Вкус граната», роль — работник МИДа Борис Долженко, (2011).

«Развод», роль — Камео, (2012).

«Тетушки», роль — шеф Валерий Павлович, (2013).

«Бальзаковский возраст, или Все мужики сво...», роль — Витас, муж Сони, (2007—2013).

«Равновесие», роль — предводитель светлых сил, (2013).

и др.

ТЕАТРАЛЬНЫЕ РАБОТЫ

В Латвии, в театре «Дайлес»:

Г. Приеде. «Отилия и ее внуки.», роль — Жоржик, (1972).

Р. Блауманис. «Краткое наставление в любви», роль — один из парней. (1973)

В. Эфимилиу. «Привет, дядя!», роль — Клайдонис, (1973).

Р Тишков — Л. Жуховицкая. «Орфей», роль — Ричард Тишков, (1974).

А Дрипе. «Последний барьер», роль — Зумент, (1974).

Р. Шеридан. «Няня», роль — Дон Антонио, (1977).

А. Гельман. «Мы, нижеподписавшиеся...», роль — Василий Потапов, (1976).

А. Чехов. «Чайка», роль — Треплев, (1976).

Ю. Марцинкявичус. «Миндаугас», роль — Миндаугас, (1979).

С. Огорд. «Фрекен Авсениус» , роль — доктор Рольф, (1981).

Н. Гончаров. «Обрыв» , роль — Марк Волохов, (1982).

«Си-минор», сольный спектакль, (1983).

Ч. Айтматов. «И дольше века длится день», роль — Тансикбаев, (1984).

К Аушкап. «Дон Кихот», роль — Святое братство, (1984).

А. Алунанс. «Джон Нейланд», роль — Фелзнер, (1984).

Э. Бонд. «Лето», роль — Давид, (1985).

П. Путниня. «Наши сыновья», роль — Эрик, (1986).

Я. Райнис. «Индулис и Ария», роль — Индулис, (1987).

М. Зиверт. «Женитьба Мюнхгаузена», роль — Мюнхгаузен, (1988).

В. Шекспир. «Венецианский купец», роль — Басанио, (1989).

Б Фрил. «Танцы в праздник Лунаса» , роль — Герий (1993).

А. Гейкин. «Хозяин», роль — Он, (1993).

М. Зиверт. «Угарный газ», роль — Милитис, (1993).

М. Залите, Р. Паулс. «Лесные лебеди», роль — министр, (1995).

Ж. Расин. «Сид», роль — Дон Фердинандо, (1996).

В. Шекспир. «Много шума из ничего», роль — Бенедикт, (1996).

Г. Гравстрем. «Сара Леандер», роль — Карл Герхард, (1996).

Б. Шоу. «Дом, где разбиваются сердца» , роль — Гектор Хашебай, (1997).

Г. Шмит «Полет над саванной в вертолете господина Спогулиса», роль — Фрэнк, (1998).

В. Карклиньш. «Красное вино», роль — Алан Кевендиш, (2000)

В. Аллен. «Секс, брак и развод по-американски», роль — адвокат Риггс, (2011).

Театральные работы в России:

М. Фриш. «Биография. Игра», роль — Регистратор. (Режиссер — Виталий Соломин)

В Павлов. «Жизнь налаживается», роль — Полянский. (Режиссер — Виталий Павлов)

Дж. Пристли. «Не будите спящую собаку», по пьесе «Опасный поворот», роль — Роберт Кэплен (режиссер — Ольга Шведова).

М. Булгаков. «Мастер и Маргарита», роли — Понтий Пилат, Коровьев, (режиссер — Валерий Белякович)

А. Арбузов. «Сказки старого Арбата», роль — Балясников Федор Кузьмич, мастер кукол, (режиссер — Ольга Шведова).

А. Герни. «Чего хотят мужчины?», по пьесе «Сильвия», роль — Грэг, (режиссер — Ольга Шведова).

ДИСКОГРАФИЯ

«Актер и песня»

«Золотые времена» (песни Павла Диброва)

«Над розовым морем» (песни Александра Вертинского)

«Голос крови» («Asinsbalss») — песни на латышском языке

«Вечный унисон» («Mūžigais unisons») — песни на латышском языке

«Все моё время — моё» («Viss mans laiks ir mans») — песни на латышском языке

«Встречи» («Tikšanās») — песни на латышском языке

ОГЛАВЛЕНИЕ

Литературно-художественное издание

Ивар Калныньш
МОЯ МОЛОДОСТЬ – СССР

Под редакцией Елены Смеховой

12+

Все права защищены.
Ни одна часть данного издания не может быть воспроизведена
или использована в какой-либо форме, включая электронную,
фотокопирование, магнитную запись или какие-либо иные способы
хранения и воспроизведения информации, без предварительного
письменного разрешения правообладателя.

Подписано в печать 20.11.2014
Формат 60x90/16 Усл. печ. л. 14
Тираж 2500 экз. Заказ № 8632.

Общероссийский классификатор продукции
ОК-005-93, том 2; 953000 – книги и брошюры

Ответственный за издание *А. Рахманова*

Ведущий редактор *Е.Кравченко*

Корректор *И. Мокина*

Технический редактор *Т.Тимошина*

Компьютерная верстка: *А.Грених*

ООО «Издательство АСТ»
129085, Москва, Звездный бульвар, д.21, строение 3, комната 5

«Баспа Аста» деген ООО
129085, г. Мәскеу, жұлдызды гүлзар, д. 21, 3 құрылым, 5 бөлме
Біздің электрондық мекенжайымыз: www.ast.ru
E-mail: lingua@ast.ru

Қазақстан Республикасында дистрибьютор
және өнім бойынша арыз-талаптарды қабылдаушының
өкілі «РДЦ-Алматы» ЖШС, Алматы қ., Домбровский көш., 3«а», литер Б,
офис 1.
Тел.: 8(727) 2 51 59 89,90,91,92
факс: 8 (727) 251 58 12 вн. 107; E-mail: RDC-Almaty@eksmo.kz
Өнімнің жарамдылық мерзімі шектелмеген.
Өндірген мемлекет: Ресей
Сертификация қарастырылмаған

Отпечатано в ОАО «Первая Образцовая типография»,
филиал «УЛЬЯНОВСКИЙ ДОМ ПЕЧАТИ». 432980, г. Ульяновск, ул. Гончарова, 14